AI・ロボットと共存の倫理

西垣　通 編

河島茂生
ドミニク・チェン
富山　健
広井良典
江間有沙

AI・ロボットと共存の倫理

岩波書店

生命的機械の登場——まえがきにかえて

ＡＩ(artificial intelligence：人工知能)やロボットは今後、倫理的次元でいかなる問題をはらむだろうか？——それが本書のテーマである(なお、現在のロボットの多くはＡＩ機能をもつので、本書ではまとめて「ＡＩ・ロボット」と呼ぶ場合もある)。これらのテクノロジーが二一世紀の人間社会で大切な役割を果たすことは誰しも否定しないだろう。関連する文献は多いが、内容は主に技術的紹介や経済的効果であり、せいぜい、現行法制度との整合性や社会的安全性への懸念が語られるくらいが大半である。倫理を正面から問いかける論考はまことに少ない。

だが、「生命的機械」であるＡＩやロボットは、人間同士のコミュニケーションに関わり、社会的判断にも影響するので、倫理的考察はきわめて大切である。そういう面倒な問題を迂回して海外技術を手っ取り早く利用するのがわれわれ日本人の長年の習慣だが、ＡＩやロボットに関しては安易な近道は危険すぎる。下手に暴走すれば社会にひどい混乱や犠牲を招くだろう。踏み込んだ考察をおこなうには、理系と文系の知を合わせ、忌憚なく意見を交わす他はない。

こういう問題意識にもとづいて、広く多領域にまたがるメンバーが集まり研究会が組織された。座長は私がつとめたが、多士済々のメンバーを順不同で紹介しよう。富山健と長井志江はともにＡＩ・ロボット開発に従事する理系の第一線の研究者である。ドミニク・チェンもまた理系のＩＣＴ（情報通信技術）実践家だが、異色の思索者でもあり、研究範囲はアートをふくむ文系分野におよぶ。科学技術哲学を専攻する広井良典は、ＡＩ社会について膨大なシミュレーションを行い、広い観点から公共政策を論じている。江間有沙は、技術社会論の立場から、ＡＩの動向や意義について発信する国際的コミュニケータとして名高い。また河島茂生は、ＡＩ倫理について専門的に研究する情報学の論客として、近年とくに注目されている。

論じるべき点は多岐にわたるが、主なものを一つだけあげておく。今おおきな注目を集めているのは、生命をはぐくむ地球環境が急速に変化しつつあるということである。温暖化による異常気象をはじめ、人間の行為が生態系に致命的な打撃をもたらしており、これが「人新世」(anthropocene)と呼ばれる地球のあらたな姿なのだ。そして生命的な機械と見なされるＡＩやロボットは、この危機的状況において何ができるだろうか。それらが勝手な判断を下して、状況をさらに悪化させる恐れも無いとは言えない。

最大の焦点は、はたしてＡＩ・ロボットがヒトのような心、とくに倫理観をもてるか、という問いである。この問いと取りくむ上でまず、ヒト（生命）とＡＩ・ロボット（機械）との同質性／異質性が先鋭なポイントとして浮かび上がってくる。なぜなら倫理の本質は、究極的には「よく生きること」だからだ。

生命と機械は基本的に連続しており、あまりヒトとＡＩ・ロボットとの断絶を強調すると、技術的進歩が阻害されるという意見もあるだろう。近年、脳科学や心理学の発展とともに、「理性をもち合理的判断ができる存在」という伝統的なヒトの定義自体がゆらいでいる。たとえ健常者のような常識的判断力の有無が明らかではない障碍者であっても、当然、ヒトの範疇から外すことはできない。健常者と障碍者との間に明確な境界線が無いなら、ヒトとＡＩ・ロボットも連続していると考えるべきなのか。

とはいえ一方、障碍者をふくむ多様な人権の尊重という発想こそむしろ、ヒトとＡＩ・ロボットとを分かつ境界線を際立たせる、という逆の議論もありえる。壊しても代替のきく機械と異なり、かけがえのない命をもつ生きたヒトという価値づけは近代社会の秩序の根幹であり、両者の峻別が人権を守る倫理の第一歩だというわけだ。生命を機械化し、技術革新と経済発展のためには命の犠牲もやむを得ないという古臭い進歩至上主義こそ人新世の環境破壊を招いた元凶だ、という指摘は多くの賛同を集める。このように、ヒトとＡＩ・ロボットの境界線への問いかけは、ＡＩ・ロボット研究者の倫理的責務に他ならない。

もう一歩踏み込むと、この探究はより広く、「生命と情報」の関係への問いかけにつながってくる。ＡＩとはコンピュータによるデジタル情報処理技術の一部だからだ。情報学から見たとき、生命とはいったい何だろうか。これは深遠な問題であり、ただちに答えが得られるわけではないが、ユダヤ＝キリスト一神教的な文化背景にもとづくと静的な宇宙的秩序が仮定され、生命も機械と同じ被造物である。そしてＡＩは、宇宙の存在物をデータとして的確に処理する情報処理的知性ということになる。

この思考の延長上で、やがてＡＩがヒトの知性をしのぐ日がくる、というのが有名なシンギュラリティ（技術的特異点）仮説に他ならない。確かに技術は日進月歩だが、はたしてシンギュラリティは訪れるだろうか。ＡＩの効率的支配のもとで、われわれは生きる自由を奪われ、ただのデータの集塊にされてしまいそうだ。しかし、近代の哲学は、ヒトの理性と認識能力を問い直し、データの形式処理の万能性に疑問を突きつけた。とすれば情報とは、機械で扱えるデータというより、本来は生命的な概念ではないのか……。

残念ながらこれまで、日本の情報学はそういう根本的問いかけから目をそらし、ひたすら欧米技術の表層的導入につとめてきた。それが、第五世代コンピュータ開発の挫折をはじめ、デジタル化の遅れの遠因だったのである。本書では、この点に鑑み、ＡＩ・ロボットの建設的活用をめざして根本的な議論をするようにつとめた。「人新世における進歩」とは、倫理的側面を含むものでなければならない。

読んでいただければ明らかだが、本書におさめた諸論考はそれぞれ新鮮な光彩を放つとはいえ、書籍全体としてはかならずしも統一した見解をもたらすものではない。右にのべた生命と機械をめぐるテーマは二一世紀の巨大な難問の一つであり、半世紀にわたってICTと関わってきた私にとっても依然、謎めいた面をもつ。ゆえに本書では、多少の意見の齟齬があっても、多様性を尊重し、議論を深めるための土台作りをめざした。コロナ禍のせいで直接の会合にかえてオンライン会議に切り替えざるをえず、不十分な面もあったが、本書を通じてAI・ロボットをめぐる倫理的議論がこの国でも盛り上がれば幸いである。

最後になったが、本研究会を開催運営するにあたり、上廣倫理財団から多大なご支援とご尽力をたまわった。編集の労をとられた岩波書店編集部の押川淳氏に加え、ここに心から御礼を申し上げる。

二〇二一年一二月

西垣 通

目　次

第三部 AIと社会

第一部

人間と機械

第一章　人間と機械の連続と非連続、そして倫理
――観察の複数性とシステムのありようとの関係をもとに――

河島茂生

一　混乱する議論

人間と機械は連続しているのだろうか。それとも非連続なのだろうか。いずれも違う。人間と機械は連続的であり、かつ非連続なのだ。

人工知能(artificial intelligence，以下、ＡＩ)・ロボットの倫理については、すでに実践的・実用的なフェーズに議論の重点が移ってきている。(1) 世界でみると数百にも及ぶＡＩ関連のガイドライン・報告書・提言が出されており、「人間中心、人権尊重、個人の尊厳・自律、公平性、透明性、アカウンタビリティ、プライバシー保護、安全性」といった内容がおよそ共通して盛り込まれている。企業も次々とＡＩ倫理方針等を作りはじめており、企業内に複数の委員会を設置しｅラーニングを含めた研修の機会も作ったりしている。また、アセスメントシートや可視化ツールも活用している。

しかし、ＡＩ・ロボットとヒトとの同質性や異質性については、いまだに混乱が見られる。「ヒトはヒトであり、ＡＩやロボットとは違うのだ」という同語反復的な主張もあれば、「両者は連続的であるし、そう思いたい」といった願望や信念めいた言葉も聞かれる。このまま、この混乱した状況を放置してもよいという考え方もあるだろう。けれども、このＡＩ・ロボットとヒトとの異同をやはり踏まえなければ、倫理的な責任や、倫理的な配慮の範囲およびその優先順位が見えてこない[2]。ＡＩ・ロボットとヒトとの違いがないのであれば、先に述べた「人間中心、人権尊重、個人の尊厳・自律」というのはなにを言っていることになるのだろうか。「公平性」を考慮する範囲にはヒトと同じようにＡＩ・ロボットも入るのだろうか。生き物と機械との間に差がないのであれば、生命中心主義と機械中心主義には違いがなくなり鎮守の森と都市の高層ビル群との間にも違いがなくなるのではないだろうか。

倫理の柱というべき考えが脆弱であると、いったい何のための実践や実用なのかがはっきりしなくなる。きわめて状況依存的になったり、一貫性をまったく欠いてしまったり、あるいは「人それぞれだから」という悪しき相対主義に陥ったりしてしまいかねない。あらためていうまでもなく倫理は、時代とともに変わっていく。とはいえ、ギリシャで生まれた医師の倫理「ヒポクラテスの誓い」のように、その根幹が揺るがず継承されている倫理指針もある。本章では、ＡＩやロボットが普及する社会においてなにが倫理の柱として大切かを読者に投げかけることを試みる。

倫理は、人々の間にある秩序や歩む道、習わしのことを指す。「倫理」という漢字も、「なかま、秩序」を意味する「倫」と「ことわり、すじ道」を意味する「理」との組み合わせからできている。したがって倫理を考えることは、私たちの秩序をどのように形成していくかを考えることである。私たちは、たった一人で生きているわけではない。他者と交わらずに、たった一人で生活や仕事をしているわけではない。そしてテクノロジーと無縁でいることも難しい。どのように他者と接するか、どのようにAIやロボットを社会のなかに位置づけ社会生活を営んでいくか。こうしたことを考えつづけることこそが倫理的な行為であり倫理的なプロセスなのだ。

本章は、こうした倫理のあり方に道標を立てるべく、観察のレベル（以下、観察レベル）をもとに議論を整理していく。

私たちは観察する。私たちはヒトであり、ヒトであると同時に観察して記述している。私たちは、どのように自分たちを観察しているだろうか。「ヒト」と言ったときに、どのような観点からどのようなイメージでそれを捉えるだろうか。観察レベルは、多元的であり複数性がある。何気なく暮らしていると、あるいは意識的に整理して議論しないと、この多元性は忘れられ、別の観察レベルからの議論が紛れ込み混乱することとなる。この混乱は、しばしば混乱していることすら気づかれないから厄介だ。

本章では、最初に人間と機械との連続性／非連続性をみるために、この観察の複数性とそれに伴うシステムのありようについて述べることからはじめよう。

二　観察とシステムとの相即性

生き物と機械

唐突との印象を与えるかもしれない問いだが、生き物とはどういった存在だろうか。それは、恒常性をもちながらも実にダイナミックに変化を遂げてきた不思議な存在である。生き物の最小単位は細胞であるといってよい。膜を作り自他を区別する。この膜という境界がなければ単細胞のアメーバもいない。無生物の世界になってしまうだろう。

とはいえ自他の境界は変化する。よく知られているように、バクテリアを摂取して内部に取り込んだり、原核細胞も複数集まって真核細胞に変化したりしてきた。短期的にも細胞分裂するので、境界は引き直される。けっして固定化したものではなく動的に作りつづけられる。

こうした細胞は、オートポイエーシスというメカニズムをもっている。オートポイエーシスとは、「生きている」ことを特徴づける必要十分条件であって、自分で自分を作る自己制作のプロセスのことだ。このプロセスでは、生産者と生産物が同じであるため、自分で自分を作るというループ状のメカニズムが動的に成立している。現に細胞は、その膜に加え核や小胞体などの細胞小器官（オルガネラ)、タンパク質や核酸などの物質を動的に生成しつづけている。地球上には実に多種多様な生き物がいるが、どの生き物の細胞にもオートポイエーシスという特徴が見受けられる。乳酸菌であっても酵母であっても細胞自体が内部を形成している。多細胞生物は、オートポイエーシスという特徴をもったシステム(オートポイエティック・システム)の集積体である。細胞だけでなく免疫系や神経系のレベルのオートポイエーシスが重層的に積み重なっていることも多い。

これは、ヒトにおいても同じである。わかりやすいように個体を念頭に置こう。たとえば胎児は、母親のへその緒から栄養をとり、生まれると母乳やミルク、離乳食を摂取して大きくなっていく。もちろん病気の場合は医師による介入があるのだが、最初から腕や内臓をくっつけたり歯をくっつけたりして生まれてくるわけではない。あらかじめ生き物は自分で自分を作るというメカニズムが内部にあり、そのメカニズムに沿って栄養などを摂取しながら成長していく。たった一個の受精卵が骨細胞や小腸上皮細胞、脳のニューロンなどおよそ二〇〇種類に分かれて増えていく。成長しても細胞は、たえず自分で作っては壊し作っては壊しを繰り返し、体内には何十兆個もの細胞が内発的に作られて壊され、また作られている。小腸上皮細胞でいうと、わずか三日から五日の寿命で、寿命がくるとまた新たな細胞に入れ替わる。このような自分で自分を作るシステムが体のなかにある。

こうした見方は、システムの作られ方に着目しているといえるだろう。この見方でみると、機械はどのように捉えられるだろうか。

端的にいえば機械のメカニズムは、その機械自体が生み出しているのではない。外から決められている。そのメカニズムの本来の機能は、開発者や運営者によって決められる。自分で自分を作っておらず、たとえば自動車でいえば、ガソリンを入れればハンドルやブレーキが生えてくるというわけではない。コンピュータでも、電源につないだら内部でCPUが作られるわけでもメモリやSSDが作られるわけでもない。AIもコンサルタントやデータサイエンティスト、データエンジニア、システムエンジニアなどが関わって作られメンテナンスされている。すべてのルールをソースコードで書き下すことはなくなってきているが、短くともソースコードは書くし、また訓練データセットも用意しなければならない。このように内側からではなく外から構築されるシステムをアロポイエティック・システムという。アロポイエティック・システムは、みずからでみずからを作らない。そのため、外から作られなければ存在しえない。このようにシステムの作られ方に着目すると、ヒトとAI・ロボットとはまったく違っている。感情をもっていると謳っているロボットも、それは人間が作り込んだ「疑似感情」――本物に似せて作られた感情――である(3)。

もちろんヒトとAI・ロボットを同じように捉えることもできる。実際、コンピュータであるかのようにヒトを捉えることが増えてきている(4)。ヒトは、情報の入力―合成―出力関係で捉えることが可能だ。本書の読者も、いま文字をみて、それを過去の記憶と照らし合わせて解釈し、その解釈を場合によってはインターネットでつぶやいたりレポートに書いたりして出力する。コンピュータも、入力されたデータをソフトウェアによって合成・処理し、結果を画面などに出力する。このような観点でみると、ヒトとコンピュータは等式で結ぶことができる。少なくとも連続性のスペクトラムに置くことはできるだろう。ヒトやコンピュータをそれぞれ単体で捉え、情報の入力―合成―出力の関係でみる考え方である。このほか、「論理的推論」「ホメオスタシス（恒常性）」「自己複製」「学習」「ニューロンの働き」のいずれに着目しても、ヒトとコンピュータは同類として捉えることができるだろう(5)。物質性に着目した場合、無機物から有機物を合成可能であるため、無機物と有機物との違いが生き物とそれ以外とを本質的に区別しないことはよく知られている。それに加えて、情報の入力―合成―出力関係などについても大きな違いがないように思われるのだ。そこでは本来なら区別するべき情報の種類――基礎情報学でいう生命情報／社会情報／機械情報、フロリディのいうデータ／意味論的情報――が区別されず、生き物も機械も情報変換体として同列に置かれる(6)。

けれども、これまで見てきた通りポイエーシス（制作）という面においてはまったく違っており、この違いが大きな倫理的含意をもたらすが、それは後で述べることとしていまは先に進もう。

先ほど生き物は、細胞レベルから神経系や免疫系のレベルにまでオートポイエーシスが多層的に集まっていると述べた。それでは、より広い範囲でみた場合はどうだろうか。話が複雑になりすぎることを避けるため、生き物のなかでもヒトを取り上げて話を進める。

〝人間＝機械〟複合系およびその空間的レベル

ヒトは、つねにテクノロジーとともに生きてきた。マーシャル・マクルーハンにならって話し言葉が最初のテクノロジー（メディア）であるとするなら、ヒトはその誕生以来、テクノロジーと分かちがたく結ばれていたといえるであろう。(7) このほか、木の棒や斧、ペン、カメラ、時計など数々のテクノロジーを生み出してきた。そして、それらのテクノロジーによってヒトの認知も変わってきた。文字の発明によってヒトの思考形式がいかに変わってきたのかについてはよく指摘されている。(8) ヒトは、メディアと一体となって考える。これはメディア研究の基本的な考え方だといってよいだろう。だからこそメディアの及ぼす影響——偏向報道など——が問題となってきたのである。また、テクノロジーなしにはヒトの能力は大きく制限されてしまう。ここ何世紀もの間、自然科学の発見は、私たちが肉眼で知るスケールをはるかに超えてしまっている。生身の感覚だけではニュートリノも見つけられない。そればかりか、テクノロジーをメタファーにして世界の成り立ちが理解されてもきた。(9) 時計じかけの宇宙像が最たる例だ。ヒトは、頭のなかだけで思考しているのではなくテクノロジーとともに考えているのである。このように、人間と機械の両方を含みこんだシステムそれ自体を観察対象とし、そのあり方を考えるレベルを「〝人間＝機械〟複合系」と呼ぼう。(10)

この〝人間＝機械〟複合系も、実に多様であり整理して議論する必要があるため、ここでは便宜的にミクロレベル／メゾレベル／マクロレベルに分けて話を進める。(11) このレベル分けは、相互に排他的なものではなく重なり合ったり影響を及ぼし合ったりしていることも多い。

まずミクロレベルは、規模が小さく、一人のヒトとその周りのテクノロジーとの関係をまとまりとして捉えたレベルである。かの有名な「中国語の部屋」でいえば、部屋のなかにいる人がたとえ中国語を理解していなくとも部屋全体が考えているとみなす捉え方である。中国語の部屋は、アメリカの哲学者ジョン・サールが考えた思考実験である。部屋の外にいる人からみると、部屋のなかにいる人が中国語をまったく理解していなくともマニュアルをみて中国語でうまく返せば会話しているように一見思える。部屋のなかの人に着目するとマニュアルに沿って形式的に処理しているだけで中国語の内容を理解しているとは言いがたいが、このとき観察レベルを変えて、なかの人自体ではなく、なかの人やマニュアルを含む部屋全体が思考しているとみなすことはできる。このように、一人のヒトではなく、より範囲を広げて環境と一体となって考えているとみなす観察のレベルが〝人間＝機械〟複合系のミクロレベルにあたる。ヒューマンインタフェースやウェルビーイング、学習環境などが対象領域として位置づけられる。

メゾレベルは、やや規模が大きくなり、企業などの公式的な組織に相当する。大小さまざまな組織があるが、複数のヒトがコミュニケーションしながら決定を下し、オンラインビデオ会議システムやチャットツールなどのテクノロジーが介在しながらコミュニケーションが連鎖していく。

マクロレベルは、多数の組織が合わさって形成される業界や、国境を越える国際的なコミュニケーションを観察対象とするレベルである。一組織だけでは決定できず、組織横断的なガバナンスが求められる規模である。どれほど巨大な企業であっても一社だけでテクノロジーの動向のすべてをコントロールできるわけではない。多岐にわたるテクノロジーが多様な規格に合わせて設計されながら互いに連動してデータが処理されている。

ここで確認しておかなければならないのは、〝人間＝機械〟複合系では、どのレベルであっても、その存立に関わるヒトやテクノロジーがいずれも情報の入力―合成―出力という関係で捉えられるということだ。ミクロレベルでいえばヒトも、その個体に閉じられているわけではなく、どのようなテクノロジーを使うかによって仕事の量や質が変わる。(12) ヒトがヒューマンインタフェースに沿って入力を行い、それが機械で処理されてその結果をみて、ヒトがまた入力を行う。この観察レベルでは、ヒトは一種の入力―合成―出力の装置だ。この観察レベルでオートポイエーシスの様相をもつのは、より上位の〝人間＝機械〟複合系それ自体であり、その系自体がまるで考えているかのようにみえるのだ。そしてヒトやマシンは、いずれもオートポイエーシスではなくそこに寄与する装置のように捉えられる。

これは、メゾレベルの公式組織でも同様である。コミュニケーションが連鎖して公式組織が存続するようにヒトやマシンが介在する。たとえばオンライン会議システムにて、発言の順番がきたらミュートの機能を解除し、役割に合った発言を行って会議の遂行に資する場面がわかりやすい。ヒトは、

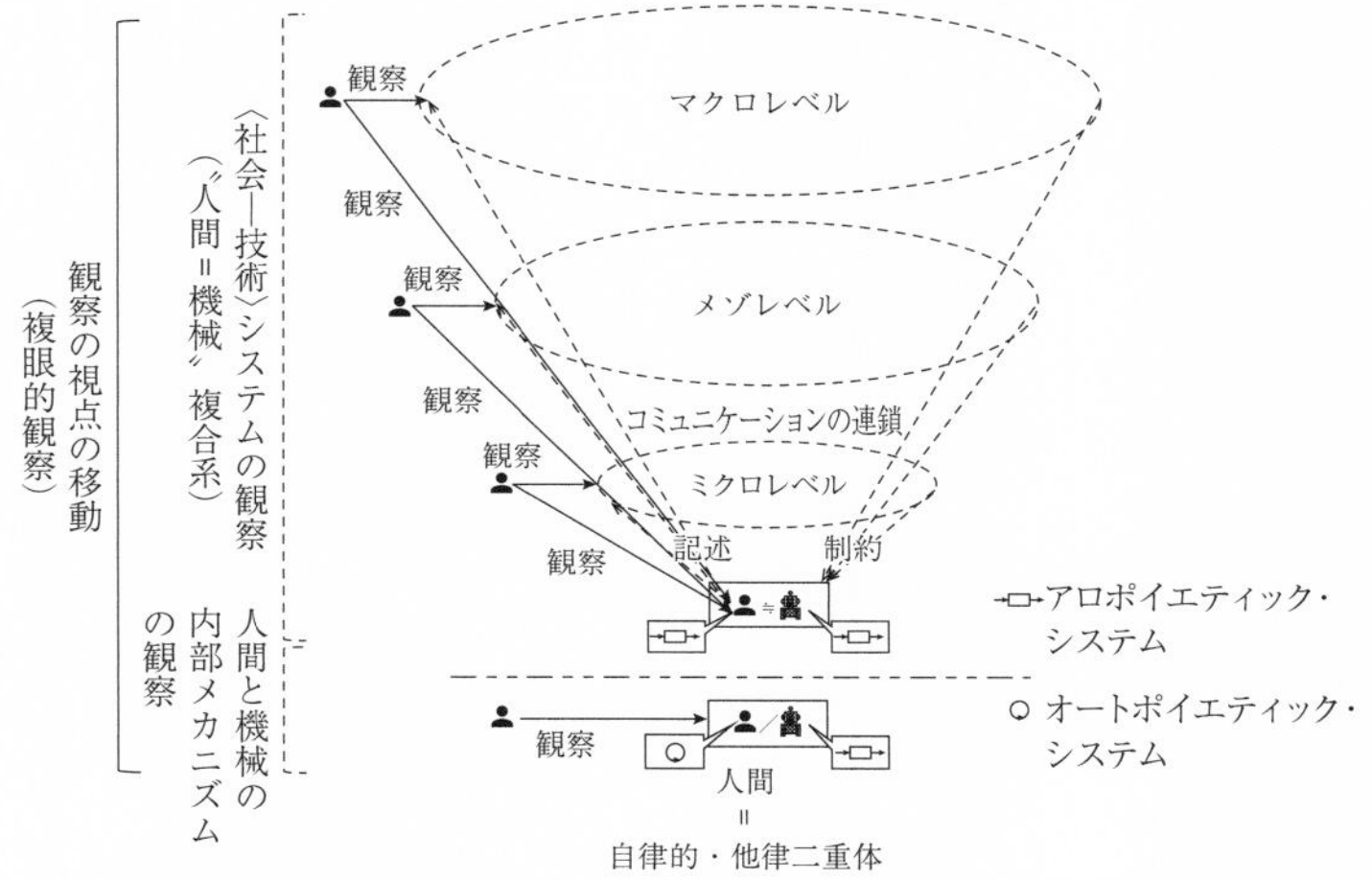

図1　多元的な観察レベル(出典：robot icon by Rudez Studio (the license is Attribution 3.0 Unported (CC BY 3.0)))

ほかのヒトの音声を聞き(入力)、その発言を自分のなかで解釈し(合成)、発言を行う(出力)。マシンも、ミュート解除のボタンが押されると(入力)、「ミュート解除ボタンのクリック→マイクをオン」という条件文の処理を行い(合成)、マイクで拾った音を伝送する(出力)。ヒトもマシンも、コミュニケーションの継続的連鎖というオートポイエーシスに寄与する存在である。

　マクロレベルは、もっと多くのヒトやマシンが関わり、メゾレベルの公式組織ですらグローバルなコミュニケーションを支える装置と化す。ヒトやマシンは、情報の結節点であり、それらの結節点をまたぎながら情報が行き交う。

　図1は、観察レベルによって立ち現れるシステムが変化する様子を外側からみて描いた図である。ヒトの内面を見つめようと観察すれば一

人称的な内的視点が現れ、その内的視点は内部のオートポイエーシスから湧き上がってくることが見て取れる。それに対して、それよりも上位のレベルから観察すると、ヒトは〝人間＝機械〟複合系のメカニズムに組み込まれて入力―合成―出力する存在、つまりアロポイエティック・システムのように観察される。ヒトは、オートポイエティック・システムとアロポイエティック・システムが合わさった二重体であり、観察レベルによって違う様相を帯びる。

第二節の最初に時間軸でみるとシステム／環境の境界が変化することに触れたが、空間軸でみた場合にも観察レベルを変化させていくとシステムの現出の仕方が変化する。細胞や神経系のレベルでみるとオートポイエーシスに見えたシステムが、〝人間＝機械〟複合系のレベルでみるとアロポイエティック・システムになり開放系として捉えられるのだ。それまでのシステム／環境の境界が消え、一回り大きなシステムの境界が現れてくる。時間的にも空間的にも、非常にダイナミックにシステムと環境との境界は動いていく。

このように考えると、オートポイエーシスがオートポイエーシスであるのは観察レベルを限定して短い時間間隔だけをあえて切り出したときに見えてくる特徴にすぎないのではないかと思えてくる。けれども、生き物のオートポイエーシスは決定的に重要なのだ。というのも、それなしにはアロポイエティック・システムは存在しえず、〝人間＝機械〟複合系も生じえないからである。繰り返すがアロポイエティック・システムは、自分で自分を内部から作れない。オートポイエーシスがなければ、アロポイエティック・システムは作られず存在しえない。したがってオートポイエーシスは、作ることの、システムが存立することのもっとも重要な基礎であり核心である。生き物がいてこそ、特にヒトがいてこそ、テクノロジーは作られつづけメンテナンスされていくのだ。生き物がいてこそ、〝人間＝機械〟複合系もオートポイエーシスのような様相を呈しうるのだ。

この論には反論が予想される。機械があってこそ機械が作られ動かされるのだ、と。私たちは機械を使って機械を作っている。機械を使って機械を動かしている。CPUのシリコンウェーハを手で直に作る人はいない。手で直に発電してモーターを回す人も見かけない。たしかに、そうだろう。けれどもシリコンウェーハを作る機械自体は人が作り、モーターを動かす仕組み自体も人が作っているのではないだろうか。機械同士が相互に連結して機械が別の機械を作り動かすことが次第に増えているといっても、そうした仕組み自体が機械だけで形成されているわけではない。生き物（ヒト）は、私たちの社会に根づくテクノロジーのダイナミズムそのものを作り動かすもっとも基底的な存在なのだ。

三　倫理の責任と配慮

次に倫理的な責任と配慮について取り上げよう。ＡＩやロボットが社会のなかに入るにあたって注目を集めている話題である。

責任(responsibility)は、トラブルが生じた後、その問題が起きた原因を探り、いかにしてそのような問題が生じたかの理由を問いかけるという過去に向けた側面と、将来のリスクに備えよりよいサービスを実施しようという未来に向けた側面がある。とはいえ、両側面ともに責任を担う立場にある存在は、オートポイエーシスであることがまず必要条件となる。(13)

というのもアロポイエティック・システムは、根本的な原理が外から組み立てられているにすぎないからだ。内発的に動きが決められていないにもかかわらず、まるで内部に原因があるようにみなして責任を帰属させるのはかなり無理があるといわざるをえない。もちろん、これまで再三指摘されてきたようにＡＩやロボットに対して法的に人格を作り上げることもできなくはない。けれども、さまざまな論理的・制度的困難を乗り越えなければならない。もし金銭的補償のためだけに法人格を与えるのであれば、それはＡＩ・ロボットの開発・運営者らが資金を持ち寄って財団法人を作り、そこから補償金を拠出することで事足りる。(14) 強引にＡＩ・ロボットに法人格を与える積極的な理由は見当たらない。

あらためていうまでもなくオートポイエーシスであることは必要条件であって十分条件ではない。すべてのオートポイエティック・システムに責任があるわけではない。ただしＡＩ・ロボットは、数ある生き物のなかでもヒトが作り出した機械であって、そのトラブルの責任などは人間社会のなかで捉えていくことになる。とはいえ、第四節で述べるように単純にヒト＝個人とみなすべきではなく、

〝人間＝機械〟複合系のなかでいかにして責任を分散していくかを考えていく必要がある。メゾレベルの組織的責任に加え、マクロレベルの集合的責任にも目を向けていかなければならない。

倫理的配慮の対象についてはどうか。これについても、第一にはオートポイエーシスに目配りし、機械への配慮は二の次とするほかない。というのもオートポイエーシスが基底的であって、それがなければアロポイエティック・システムは生まれないからである。オートポイエーシスがなければ、現存するアロポイエティック・システムも故障した時点で停止してしまう。エンジニアなどの開発者や運営者は、アロポイエティック・システムを生む源泉であり、その源泉が守られてこそＡＩ・ロボットは存立しえる。オートポイエーシスに配慮することによって、その配慮を介して間接的にアロポイエティック・システムへの配慮にもつながる。人々が懸命に作った創作物——ＡＩ・ロボットだけでなく、書籍や絵画、音楽等も含めて——は、ぞんざいに扱うべきではなく、オートポイエーシスの活動が表現されたモノとして尊重に値する。

さてこのように議論すると、近年注目を集めているエージェント(agent)はどうなのかと気になった人もいるかもしれない。この点について触れておこう。

ルチアーノ・フロリディやジェフ・サンダースは、エージェントの条件として以下の三点を挙げた(15)。

（1）双方向性：状態変化による刺激に対応すること

（2）自律性：刺激なしでも状態を変化させる能力
（3）適応性：状態を変化させる推移規則を変化させる能力

この三条件でエージェントを定義づけると、さまざまな領域に人工的なエージェントが入っていることが見えてくる。たとえば、SNSやサーチエンジンにおけるコンテンツの選定である。デジタルデータの量があまりにも膨大になっており、利用者がすべてをみることは事実上できない。そのため運営側は、利用者にとって心地よいSNSやサーチエンジンになるようにエージェントを作り、それがフィルターのような機能を果たしている。利用者には継続的にサービスを使ってもらわなければならない。そのためエージェントを使い、これまでの利用行動をもとに利用者が興味をもたず喜ばないコンテンツを推定してあらかじめ遮断している。逆に利用者の興味をひくと予想できるコンテンツを積極的に通知している。天気のアプリにもエージェントは入っており、場所を登録しておけば雨雲が近づいてきたり気温が大幅に変化したりするときに通知する。ヘルステックの領域でも、スマートウォッチで不規則な心拍があったことを通知したり、利用者が事前に医療や介護の希望をエージェントに入力しておけば、病気が進み意識が朦朧としたときにそれを医療機関がみて治療の判断に役立てたりできる。葬式のやり方などの希望やその人が残したデジタル遺産の扱いも、エージェントに入力しておけば、それを周りの人が見て決断できる(16)(図2)。このほか、人工的なエージェントとしては迷惑

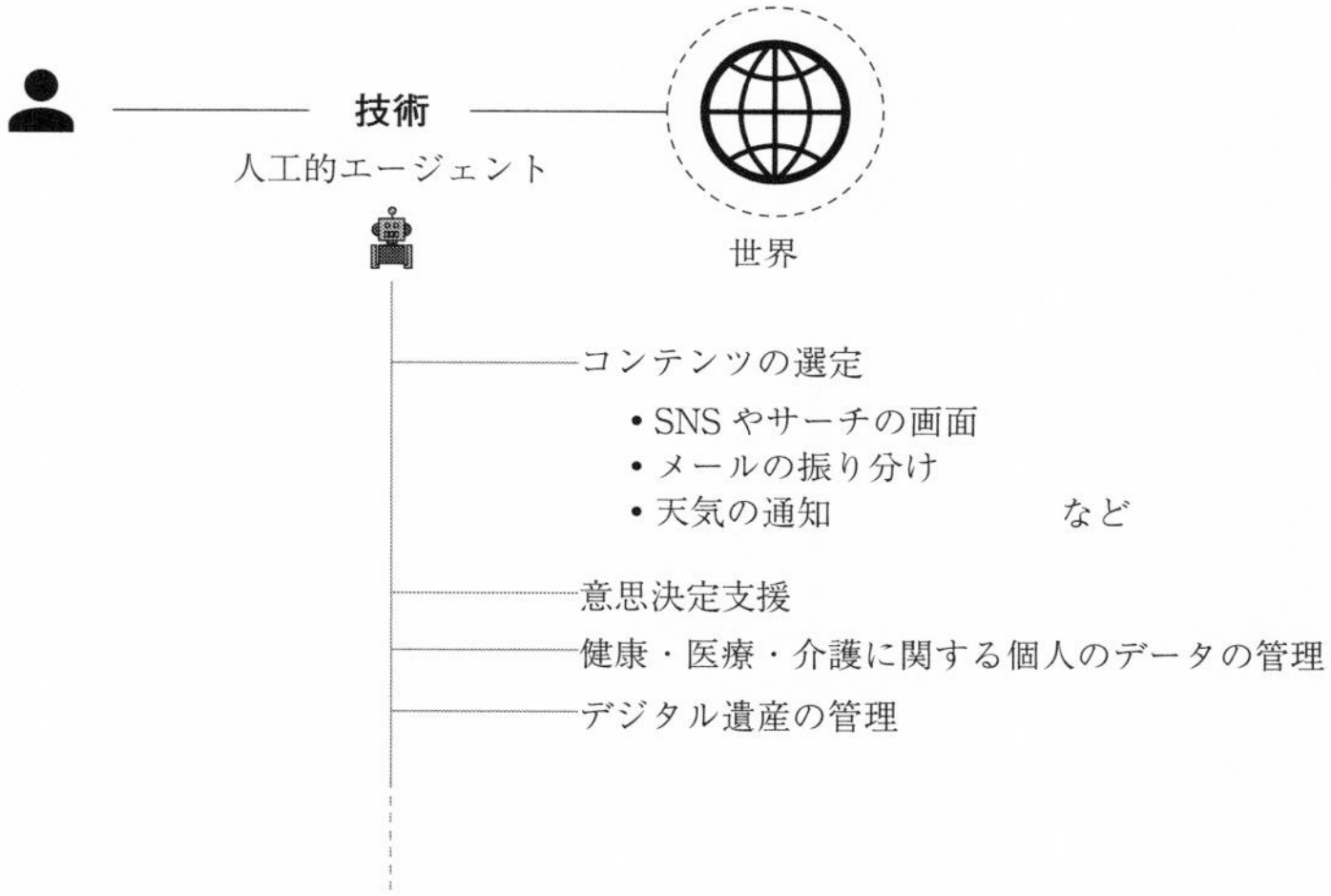

図 2 人工的エージェントの機能（出典：robot icon by Rudez Studio（the license is Attribution 3.0 Unported（CC BY 3.0）），Earth, globe, internet, browser, world icon By Andrian Valeanu Andrian Valeanu Attribution 3.0 Unported（CC BY 3.0））

メール・フィルターや、マルウェアからの攻撃を自動的に遮断するセキュリティソフトウェアなどがある。このように人工的エージェントは、すでに社会のなかに定着しており今後さらなる普及が見込まれる。

とはいえ、この人工的エージェントはあくまでもアロポイエティック・システムである。図3にあるようにエージェントは、生き物と人工物の両方にまたがった概念であり、ヒトもエージェントでありＡＩ・ロボットもエージェントになりうる。けれども、ともにエージェントであるからといって、両者が倫理的にみて同じであるということにはならない[17]。人工的エージェントは高度に自動化してお

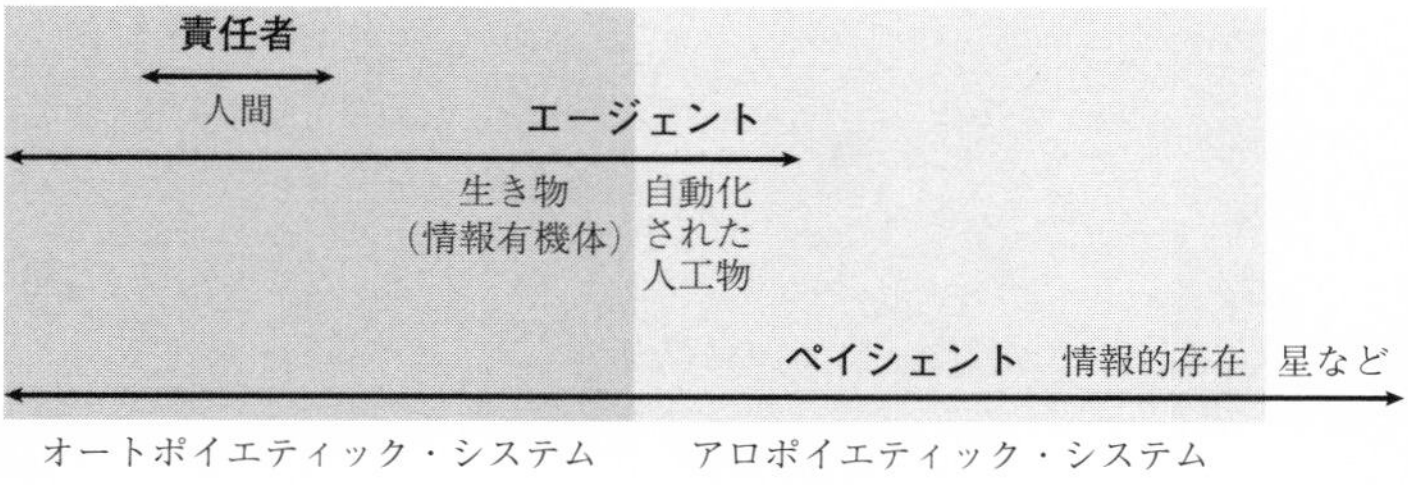

図3　エージェントの位置づけ

りヒトがいつも直接的に操作する必要はないといっても、それは生き物ではなく、コンテンツの選定などの目的に応じて外から設計され作られているのだ。そのため倫理的な責任者にはなれない。

それでは、人工的なエージェントは特別に倫理的な配慮の対象になるのだろうか。フロリディの議論でいえば、倫理的な配慮はエージェントという概念のなかで論じられてはいない。フロリディは、配慮の対象となる存在をペイシェント(patient)と呼び、生き物だけでなく書籍や石ころ、コンピュータでも配慮すべきであるという。もちろんペイシェントには、責任ある人間も人工的エージェントも含まれており、あらゆる存在物がそれにあたる。生き物だけを特権的に守るのは、生命中心主義であって乗り越えられるべきだとして批判した。たしかにフロリディのようにあらゆるペイシェントの道徳的価値の平等さを唱えることは実に美しく、それは一種のユートピア的なビジョンだろう。ただし、まったく配慮の優先順位がなくともよいのだろうか。生き物をまず尊重しなければ、生き物の自己制作をまず守らなければ、配慮すべきテクノロジーもまた作られないのではないだろうか。ヒトの命とロボットの「命」のど

表１　各観察レベルとそれに関連する主な倫理的課題

観察レベル		主な倫理的課題
個体		人間機械論，過度な個人的責任の追及，ケアの倫理，サイボーグ化
〝人間＝機械〟複合系	ミクロ	多様な人々の社会的包摂，フィルターバブル，擬人化，AI・ロボット嗜癖(依存)
	メゾ	企業が作るAI倫理指針，AI倫理委員会，アセスメントシート，可視化ツール
	マクロ	集合的責任(補償的側面・エラーマネジメント的側面・集合知的側面)

ちらを守るかをアンケートで聞いてみると、ほとんどの人たちはヒトの命を守る判断を選ぶ(18)。このような判断をする私たちは差別的で間違っているのだろうか。

四　各レベルの倫理領域

それでは、これまでの議論を踏まえ観察レベルのＡＩ・ロボット倫理に関わる課題を整理していきたい。やはり論点が拡散しすぎるのを防ぐため、ヒトに絞って話を進める。

観察レベルとそれに対応する主な倫理的課題を表１に例示した。複数のレベルにわたる倫理的課題もあるが、特に重要視されるレベルに振り分けた。先ほど述べたように各レベルは相互作用しており、たとえば〝人間＝機械〟複合系のミクロレベルにおけるフィルターバブルは、マクロレベルでみると社会の分断化を引き起こす。このように各レベルは互いに影響を及ぼし合っている。そのため表１の主な倫理的課題は便宜的な配置であると理解してもらいたい。

順番にみていこう。まず個体レベルについていえば、人間機械論のようにヒトを機械とみなすことで人間の尊厳を見失わせることが挙げられる。機械は、製作者の意図があって、その目的に沿うように作られる。これは、同じハードウェアを使いながらソフトウェアを変えることで多目的に使えるノイマン型コンピュータでも同じである。かたやヒトは、もっぱらなにかに役立つためだけに作られて生まれているわけではない。より上位の観察レベルでいうと〝人間＝機械〟複合系のなかで個人が機能(役割)を果たすべき側面が現れてくるけれども、それだけではない。たとえ仕事ができなくとも、それだけで尊厳が消えてしまうわけではない。また個体は、それぞれ内的視点から環境を認知して生きていく。自分で自分を作りながら自分や環境を認知し、唯一無二になっていく。デジタルデータのようにミラーリングしてまったく同じものを形成するのは実際上難しい。もしかしたらＡＩも、それぞれデータを読み込むので唯一無二ではないかと言う人がいるかもしれないが、けっしてそうではない。というのもＡＩは、訓練データセットやハイパーパラメータ、重みの初期値を同じにして、同じ入力をすれば同じ出力を必ず返すからだ。そのようなことはヒトではほぼ不可能であろう。生き物は、ダイナミズムのなかにあり、そのダイナミズムのなかで環境を一人称的に認知している。いまだ細胞小器官同士の相互作用さえよくわかっていない現状で、まったく同じオートポイエーシスとその環境を準備するのは不可能に近い。やはり生き物は、機械とはまったく違った唯一性を帯びているのだ。それゆえ生き物の唯一性をないがしろにすれば、それだけ多様性は損なわれてしまう。とはいえ先に述べたように、ヒトとコンピュータを連続的に捉える思潮がせり上がっている。そのため、人間を機械とみなす人間機械論は大きな倫理的課題として位置づける必要がある。

個体レベルでは、ケアの倫理やサイボーグ化も課題であるが、ここでは後の議論に密接に関係する過度な個人的責任の追及についてだけ述べておこう。繰り返すが、個体はオートポイエーシスの集合体であって、自分自身を作りアロポイエティック・システムを作る。とはいえ、同時に〝人間＝機械〟複合系からの制約を受けている。取引先の要望や上司からの指示、開発チームの人間関係、業界の標準的な仕様、予算・納期などといった社会―技術の仕組みのなかで、私たちは行動する。社会的役割のなかで、見通しの利きにくいＡＩシステムの複雑さのなかで、開発・運営する。間違いを誘発するミクロレベルの環境があるなら、ミスは起きてしまう。適切なトレーニングを積む時間もなく、メゾレベルの組織から支離滅裂な要求をされれば、ミスは起きてしまう。それを〝人間＝機械〟複合系の問題とせず、特定の個人に責任を押し付けるのは責任の帰属先を取り違えているといわざるをえない。

次に〝人間＝機械〟複合系のミクロレベルでいうと、障害者など多様な人々の社会的包摂やフィルターバブルなどが問題として浮かび上がってくる。たとえばアクセシビリティを高め音声読み上げソフトウェアに対応することで、視覚に障害のある人でも自分で調べものができるようにしたり、音声認識技術を使って音声をテキスト化することで聴覚に障害のある人も会議に参加できるようにすることなどがある。また長井志江は、バーチャル・リアリティ(virtual reality)の技術によって自閉スペクトラム症の人たちの主観的な視え方を疑似体験する装置を作り出した[19]。障害は、外から見ているだけではわかりにくく、こうした障害者の主観を近似的に作り出しケアへと結びつける技術は大いに評価されるべきであろう。また分身ロボットカフェのように、ロボット技術を使って遠隔で働く可能性も模索されている。

ミクロレベルは、ヒトとそれを取り巻く環境を視野に収めるため、よくいわれるフィルターバブルも議論の俎上に載る。フィルターバブルは、先ほど述べたエージェントの働きによってコンテンツが選定(フィルタリング)され、個々人が泡(バブル)のなかにいるような状態になっていることを指す。SNS上のデータを分析して細かな条件で利用者を分類しメッセージや画像を変えて政治広告を出す。そのことが選挙行動に影響を与えている[20]。またアルゴリズムに変更を加え、ネガティブな投稿の表示の割合を増やすとその投稿をみた人が触発されてネガティブな投稿をすることが増えた[21]。ミクロレベルでは、ヒトは環境と一体になって存立している。環境が歪めば、その環境と相互作用しているヒトからの出力も歪む。

メゾレベルについていえば、本章の冒頭で述べたように企業は次々とAI倫理に取り組みはじめている。機械学習の帰納的プログラミングのやり方では、これまでとは違うガバナンスが必要とされる。そのため、国際機関や政府などが作りすでに公表しているAI倫理原則を参考にして、また組織のビ

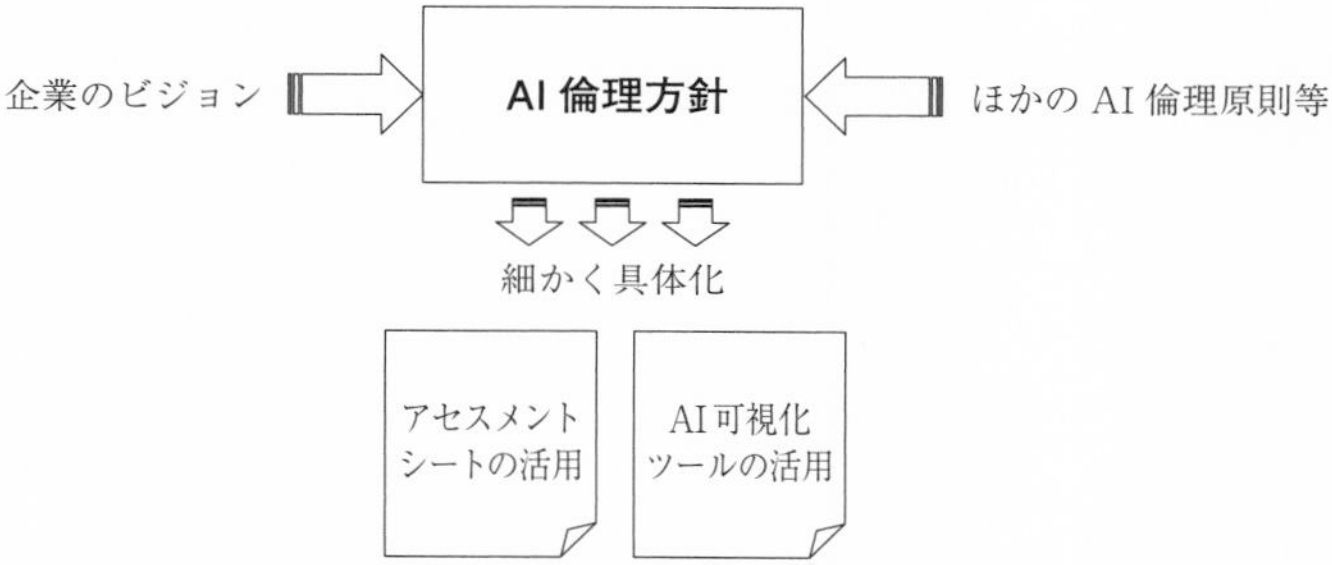

図4　組織におけるAI倫理のガバナンス

ジョンを踏まえながら個々の組織がＡＩ倫理指針を独自に作成してきている（図4）。加えて、第三者的な視点を入れるため外部から委員を招いてＡＩ倫理の委員会を構成し、ＡＩ開発や運用に問題がないかを議論している。さらに、システム設計やデータ準備、データ加工、システム構築、検証といった工程ごとにアセスメントシートを設けて作業漏れや確認漏れを防いでいる。Grad-cam や Lime などのＡＩの可視化ツールも使っている。

マクロレベルでは、ミクロレベルやメゾレベルだけではどうしても収まりきらない倫理的問題――集合的責任――が議題となる。この集合的責任は、補償的側面・エラーマネジメント的側面・集合知的側面に分けられる。

補償的側面としては、被害やトラブルが起きたにもかかわらず、いったい誰のミスなのか、あるいはどの会社の製品・サービスが原因なのかが限界まで調べても判明しないケースに対応することが挙げられる。二〇一〇年代に脚光を浴びたＡＩは、それが統計的モデリングに基づいていることが特徴であるが、それとともに大量の機器が通信ネットワークで結ばれているなかに組み込まれていることも特徴である。そのため、これまで以上に原因究明が難しい。そうした場合、社会もしくは業界それ自体が一種の道義的責任を担い、被った損害を補償し救済を図る。同時に、個人や組織に対して過度に責任を追及しないようにし、事故の調査をやりやすくする。こうした方法は、次に述べるエラーマネジメントにもつながる。

補償的側面は、事故が起きた場合だけに限られない。たとえばロゴやＢＧＭ、定型的な記事などのコンテンツを生成するＡＩが増えている。一流の人が作ったコンテンツの質には届かなくとも、驚くほどの量のコンテンツをすばやく生成できる。低価格であれば、ＡＩが作ったコンテンツの方を選ぶ人も出てくるだろう。大半のクリエイターが十分な報酬を受けられなくなっているが、結果としてその傾向にさらに拍車がかかってしまうかもしれない。ここで忘れてはならないのは、コンテンツ生成型のＡＩが人の作ったコンテンツを読み込んでそれをもとにして新たにコンテンツを出力していることだ。もしコンテンツ生成型ＡＩの開発者や運営者、あるいはコンテンツをデータとして収集する業者ばかりに利益が偏ってしまいクリエイターに報酬がもたらされないのであれば、それは是正しなければならないだろう。というのも、ヒトのクリエイターがコンテンツを作らなければ、それを読み込むコンテンツ生成型ＡＩは高度化しないからであり、ヒトのコンテンツが多様に継続的に作られてこそ、ＡＩのコンテンツも多様になっていくからだ。コンテンツ作成者への経済的補償は、コンテンツ生成型ＡＩの業界から出すことも検討に値するテーマに違いない。コンテンツ作成者の連絡先等が不明な場合、クリエイター育成や教育事業に支出すれば包括的な援助の一環ともなる。

次のエラーマネジメント的側面は、似たような事故が同じ業界内で繰り返されないように事故の原因や対処法を業界で公開し合うということである。再発防止に向けて事故の報告を促す。機械学習のメカニズムは、エンジニアが数百行程度のコードを書かなければならないが、それでも演繹型のプログラミングのように数万行から数百万行に及ぶソースコードにすべてを書き下しているわけではない。そのため、演繹的にプログラミングした場合よりもＡＩ・ロボットの動きが予想しにくい。予想とは違った動きをした事例を集め業界全体で報告し合うことによって、一般の人々のなかにＡＩ・ロボット全体への信頼感を醸成していくことが求められる。

最後の集合知的側面も欠かせない。いまのＡＩは、ビッグデータ型であり高精度かつ大量の訓練データセットを用意することが重要である。とはいえ、単一の組織だけで用意するのは難しく、多くの組織でアノテーション（タグ付け）したデータを共有することが求められている。アノテーションの用語・基準の体系化や、アノテーションの質、データの最小限の標準的仕様についても課題があるが、医療分野ではすでに画像診断のナショナルデータベースの構築が試みられている。

これは、いま注目を集めている連合学習（federated learning）でも同様である。個人情報等を組織の外に持ち出すことなく学習済みモデルだけを共有することができるので多分野で活用が期待されている。個々の組織だけでやってもデータ不足で機械学習の精度が高まらないことがあり、学習済みモデルの更新差分を組織間で総合して全体のモデルを計算し直すことで機械学習の機能を上げようとしている。

このほか学協会で行われているエンジニア同士の学び合いや、複数の組織の人たちが一緒になって企画し話し合うオープンなイベントなども、この集合知的側面にあたる。こうした意見交換の場は、古くからみられるが、やはりこのような活動抜きではＡＩ・ロボット社会の倫理を築きえない。私たちは、ＡＩ・ロボットを通じて、どのような社会を作りたいだろうか。

インターネットではもとよりコモンズの文化が育まれてきた。コンピュータ・プログラムのソースコードをオープンにして配布することは、一九六〇年代よりみられ、それがフリーソフトウェアやオープンソースの流れを作り、GitHub や Wikipedia などにまで継承され続けている。ライセンスも整えられ、クリエイティブ・コモンズ・ライセンスは、オープンコンテンツを広げるために国際的に使われている。[22] ＡＩにおいても、こうした流れを強め、補償的側面やエラーマネジメント的側面も含めて集合知的側面を広めていくことが欠かせない。

五　まとめ

ヒトを含む生き物と機械は連続しており、かつ断絶している。観察レベルの違いを踏まえることで、この矛盾したような言葉を整理することができる。

あらゆるものがコンピュータ化していくようにみえる昨今、生き物と機械との違いは次第にみえなくなってきた。ヒトとコンピュータは同じであるという見方が流行している。人間と機械を単体として観察せず、さらに自己制作に着目しない場合は、たしかにそのようにみえる。しかし、オートポイエーシスの有無においてはまったく違う。オートポイエーシスは、生き物自体を作り出し、派生的に機械をも作り出してきた。オートポイエーシスは、もっとも基本的な、もっとも原理的な創造性を宿している。私たちが倫理的な創造性を発揮できるとするなら、必ずこのオートポイエーシスからなのだ。

私たちは、ＡＩ・ロボットによって認知や身体の能力を拡張しながら、いかにして持続可能な社会を作り上げていったらよいのか。それは、いうまでもなく、私たち自身が考えなければならない。広井良典は、日立京大ラボとの共同研究でＡＩを使ったシミュレーションを行い、見事なまでに日本の未来のシナリオを描いてみせた(23)。ＡＩを使ったシミュレーションにより「都市集中」か「地方分散」かという選択がもっとも本質的な分岐点であり、地方分散型の社会にしていくことが持続可能な社会にとって重要であることを示した。また広井は「生命」を軸としたマクロな生態系に価値を置くべきであると書いている。こうした見立ては、本章で述べた倫理の道標と完全に一致している。人工物中心ではなく生命中心にまちづくり（〝人間＝機械〟複合系）を構想して展開すべきだ。

本章は、オートポイエーシスを基底にすえ、そのダイナミズムが〝人間＝機械〟複合系のダイナミズムを生み出すことを見てきた。実は、オートポイエーシスの理論は難解であり多くの誤解がつきまとっている。誤解について二点だけ触れておく。一点目は、オートポイエーシスは環境を無視しているという批判だ。これは、あまりにもナイーブな批判である。というのも、オートポイエーシスはその内部から環境を捉えているのであり、その環境の条件が厳しく内部のメカニズムがそれに耐えられないならば崩壊する。たとえば偏性好気性の生き物は、酸素がなければオートポイエーシスが崩壊して死ぬ。オートポイエーシス理論は生物学の知見のもとに生まれたが、生物学の研究領域ではこうした例はあまりに多く見られる(24)。そのため、環境を考慮していないという批判はきわめて初歩的な誤解である。

二点目は、オートポイエーシスはＡＩ・ロボットが生き物になることは永久に不可能であることを示しており、それを援用すると思考停止に陥るといった批判だ。そのような批判もあたらない。というのも、オートポイエーシスはあくまで生き物と機械との境界を示す理論であるからだ。現代の科学からすると、地球が誕生してから、どこかの時点で非生物から生き物が生じたのであり、それが奇跡のような飛躍であったとしてもやはり奇跡は起きたといえる。機械が自分で自分を作るメカニズムそれ自体を内部で作り上げることになったら、そしてそれがハードウェアとソフトウェアの両方で実現しているならば、それは生き物の条件を満たしたといえるだろう。実際、機械が生き物となることの不可能性を証明するのはかなり難しい。これは、地球外生命体がいないことを証明することと似ている。地球外生命体がいないことを証明するには、一挙に宇宙全体を観測しなければならない。このような観測は、実に難しい。それと同様である。いま機械はオートポイエーシスから遠くとも、一万年後には実現しているかもしれないし、それは一〇〇万年後かもしれない。想像は、できる。ただし忘れてならないのは、これまで人類が作ったすべての機械は単体でみるとアロポイエティック・システムであり、オートポイエーシスに移るには大きなジャンプが必要であることだ。

本章は、「ヒトはヒトであり機械は機械である」といった同語反復を避け、また生き物の必要十分条件を明確に示し、単なる信念ではないかたちで機械との違いを確認してきた。ＡＩ・ロボットが生き物の条件を万が一、遠い未来に満たすことがあったとしても、それは生き物をまず大切にすることから出発するのだ。

謝辞

本章は、科学研究費補助金基盤研究（C）「機械と人間との感性および創造性の異同をめぐるネオ・サイバネティクス的研究」（研究課題番号：20K12553）の助成を受けた研究に基づいたものである。

（1）　たとえば江間有沙は『人工知能』第三六巻第二号において小特集「ＡＩ原則から実践へ——国際的な活動紹

介」を組んでいる。

(2) 河島茂生『未来技術の倫理――人工知能・ロボット・サイボーグ』勁草書房、二〇二〇年、九五―一三七頁。

(3) 富山健「ロボットの感情」、『こころの未来』第二一号、二〇一九年、一四―一七頁。

(4) たとえば、S. Dehaene, *Consciousness and the Brain*, Viking, 2014(スタニスラス・ドゥアンヌ『意識と脳――思考はいかにコード化されるか』高橋洋訳、紀伊國屋書店、二〇一五年)、M. Changizi, *The Vision Revolution*, BenBella Books, 2009(マーク・チャンギージー『ひとの目、驚異の進化――4つの凄い視覚能力があるわけ』柴田裕之訳、インターシフト、二〇一二年)などがある。

(5) 河島『未来技術の倫理』、四九―五二頁。

(6) 基礎情報学における情報の三種類の分類については、西垣通『基礎情報学――生命から社会へ』NTT出版、二〇〇四年が詳しい。また、フロリディの情報の区分については、L. Floridi, *Information: A Very Short Introduction*, Oxford University Press, 2010(『情報の哲学のために――データから情報倫理まで』塩崎亮・河島茂生訳、勁草書房、二〇二一年)が見取り図を示しながらわかりやすく解説している。

(7) M. McLuhan, *Understanding Media: The Extensions of Man*, McGraw-Hill, 1964.(マーシャル・マクルーハン『メディア論――人間の拡張の諸相』栗原裕・河本仲聖訳、みすず書房、一九八七年)

(8) W. J. Ong, *Orality and Literacy: The Technologizing of the World*, Methuen, 1982.(W・J・オング『声の文化と文字の文化』桜井直文・林正寛・糟谷啓介訳、藤原書店、一九九一年)

(9) J. D. Bolter, *Turing's Man: Western Culture in the Computer Age*, The University of North Carolina Press, 1984.(J・デイヴィッド・ボルター『チューリング・マン』土屋俊・山口人生訳、みすず書房、一九九五年)

(10) 「〝人間=機械〟複合系」は、西垣通の用語である。たとえば西垣通『続 基礎情報学』NTT出版、二〇〇八年。および同『新 基礎情報学』NTT出版、二〇二一年。

（11）ここでは便宜的に規模の大小を定めたが、コミュニケーションが扱う内容を含めて考えると、小人数の会話でも地球規模の話題をしたり、大人数でも細かい事務的なことについて話し合ったりするので、厳密には規模の大小は確定しにくい。
（12）河島茂生・久保田裕『ＡＩ×クリエイティビティ——情報と生命とテクノロジーと。』高陵社書店、二〇一九年。
（13）西垣通・河島茂生『ＡＩ倫理——人工知能は「責任」をとれるのか』中公新書ラクレ、二〇一九年では、オートポイエーシスであることを理論的自律性と呼んだ。
（14）河島『未来技術の倫理』、一〇七—一〇九頁。および栗田昌裕「ＡＩと人格」、山本龍彦編『ＡＩと憲法』日本経済新聞出版社、二〇一八年、二〇一—二四七頁。
（15）L. Floridi and J. W. Sanders, "On the Morality of Artificial Agents" *Minds and Machines*, Vol. 14, No. 3, 2004, pp. 349-379.
（16）中川裕志「ＡＩ倫理指針の動向とパーソナルＡＩエージェント」、『情報通信政策研究』第三巻第二号、二〇二〇年、一—二四頁。
（17）河島茂生「情報圏の構築に向けた複数のアプローチ——フロリディの情報論とネオ・サイバネティクス」、フロリディ『情報の哲学のために』、一八一—二一六頁。
（18）河島『未来技術の倫理』、一二三—一二七頁。
（19）長井志江「認知ミラーリング——認知過程の自己理解と社会的共有による発達障害者支援」、『生体の科学』第六九巻第一号、二〇一八年、六三—六七頁。
（20）たとえば、ＮＨＫ取材班『ＡＩ vs.民主主義——高度化する世論操作の深層』ＮＨＫ出版新書、二〇二〇年。
（21）A. D. I. Kramer, J. E. Guillory, and J. T. Hancock, "Experimental evidence of massive-scale emotional conta-

gion through social networks," *PNAS*, Vol. 111, No. 24, 2014, pp. 8788-8790.

(22) ドミニク・チェン『フリーカルチャーをつくるためのガイドブック――クリエイティブ・コモンズによる創造の循環』フィルムアート社、二〇一二年。

(23) 広井良典『人口減少社会のデザイン』東洋経済新報社、二〇一九年。

(24) オートポイエーシス論の創始者たちがダーウィン進化論のいう生き物の環境適応について述べた文献としては、H. R. Maturana and F. J. Varela, *El árbol del conocimiento*, Editorial Universitaria, 1984（ウンベルト・マトゥラーナ、フランシスコ・バレーラ『知恵の樹――生きている世界はどのようにして生まれるのか』管啓次郎訳、ちくま学芸文庫、一九九七年）がある。

第二章　人新世におけるＡＩ・ロボット

西垣　通

一　人新世を招きよせる人間

「人新世」(anthropocene)という巨大な展望のもとで、ＡＩ（人工知能）やロボットのひらく未来社会を倫理的に考えてみたい。

地質学的な用語である人新世という言葉は、今世紀初め頃に大気化学者のパウル・クルッツェンと生態学者のユージン・ストーマーによって唱えられたのだが、近頃マスコミで注目を集めるようになった。なぜか？——理由は、この言葉が、急速で輝かしい科学技術の進歩によって人間の諸活動能力が新たな地質年代さえもたらすほど強力になったという、子供っぽい幸福感を喚起するからではない。むしろ逆に、今や人間は科学技術を駆使して地球環境に深刻な打撃をあたえ続けており、このままでは遠からずわれわれは滅亡の時を迎えるという暗い予感と直結しているからなのである。

いつから人新世が始まったのかを厳密に決めるのは難しい。一八世紀の産業革命という議論もあるが、原子爆弾が落とされて大量の放射性物質がばらまかれた二〇世紀中葉が顕著なメルクマールになるのは確かだろう。地球の一角を吹き飛ばすほどの破壊能力をもつ核兵器が出現したばかりでなく、プルトニウムなどの原発廃棄物は今なお地層中に貯蔵され続けているのだから。だが、核問題だけではない。人間の行為が地球に刻みつけていく傷跡として、地球温暖化による異常気象、海洋のプラスチック汚染、そしてコロナ禍に代表されるパンデミックの蔓延など、多くの例をあげることができる。それらは皆、経済的グローバリズムと一体になって生態系の危機を招いており、まさに人新世の特徴なのだ。

近代人のなす行為など、五〇億年近い地球の歴史、約四〇億年前からの生命進化、二億年以上つづいてきた哺乳類の営みのなかで、ほんの一瞬の出来事にすぎない。にもかかわらず、それが地球の生態系全体に取り返しのつかない破壊的影響をあたえるとすれば、われわれは人間の文明というもの自体について、根源から倫理的問いかけをしなくてはならないのではないか。

大切なのは、その倫理的問いかけが、ＡＩやロボットといった先端デジタル技術の発展方向とも不可分な関係にある、という点なのだ。この点に気づくことはそれほど容易ではない。なぜなら、先端デジタル技術こそは、バイオ技術や脳科学と連携して経済を成長させ、地上に明るい繁栄と幸福をもたらすエースと見なされているからである。それが政官財界の見解であり、マスコミの論調もおおむね同様なのだ。ＡＩの活用においてはむろん倫理や責任といった面も問われてはいる。だが、それらの議論は、とかく自動運転や行動監視など実践的な問題における解決策の模索に限られているのではないか。

実践問題における具体的処方箋はむろん大切だ。とはいえそれだけでなく、人新世をもたらしている人間の心や社会の在り様にも目を向けなくてはならない。なぜなら今や、人間の心の働きや社会の仕組みの細部にＡＩやロボットが介入しつつあるからだ。そこでは、ＡＩが人間に代わって何らかの倫理的判断を実行することもありうる。いや、その方が望ましいという主張さえも無いではない。ＡＩは公平で人間のような誤りを犯さないし、いずれ人間より賢明な判断を下せるようになるという、超人間主義（transhumanism）の主張である。そこでは、人間が生物だという限定条件はむしろ乗り越えられるべきものとされ、より高次元の、いわば宇宙的知性の実現がめざされるわけだ。ゆえにレイ・カーツワイルのような超人間主義の未来学者にとって、人間よりすぐれた知性をもつＡＩ・ロボットの開発は、進歩の過程でまず追求すべき理想なのである。[1]

とすれば、コンピュータ上で人間の認知活動や意識のモデルを実現する試みは理想実現の第一歩と考えられるだろう。「心をもつ機械」の研究開発を通して、人間の知覚や思考のメカニズムも解明され、さらに人間特有の生物的限界を超える見通しも得られるはずだからである。この種の超人間主義的な試みにおいては、生物と機械は同質の存在とされ、両者の相違は程度の差だけで断絶が明示されることはない。

とはいえ、である。このアプローチに根本的な浅慮短見が潜んでいないかどうか、よくよく省察してみる必要がある。たとえば、「心をもつ機械」なら倫理道徳観をもつべきだが、善悪判断の大元にある共感や愛情といったものを、いったい機械がもちうるだろうか。それらは、群れをつくる生き物が、生き抜くために進化の過程で徐々に身につけてきたものではないのか。そう考えると、人新世という概念は、明らかに反倫理的な印象をあたえるものと化す。近代人は科学技術的な進歩をめざしてきたが、いつの間にか、人間を機械部品化し、自滅の淵へと突き進んでいるというのが、人新世のもつ陰鬱な含意だからだ。

だからこそ、人新生に生きるわれわれは何より、「生きる」という地点から思索を始めなくてはならない。神のように万物を「外側」から客観的に観察記述するのではなく、生きた人間の生命的行為という「内側」の地点から、デジタル社会における万物を把捉し直さなくてはならない。それが、ネオ・サイバネティクスのアプローチなのである。

原島大輔は哲学的論考「ダークインフォメーション——人新世に潜在する超人世の美徳」において、「ネオ・サイバネティクスの情報的生命的な意義が人工知能と人新世の二つのトポスで問われている」と述べ、ネオ・サイバネティクスの観点から人新世を考察することが生命論的に重要な課題だと位置づける。(2) 生命世界の謎に挑むということがそのまま倫理である、という鋭利な主張だ。実際、こういう議論をもとに、自律性や自由意思など倫理道徳の諸概念が浮かび上がり、生物と機械を分かつ本質的な相違がおのずから立ち現れるのである。

二　天然知能における自由意思

分かりやすい問いから始めよう。いったい人間は「自由意思」(free will)をもつのだろうか?――倫理道徳のベースは、善や正義を自律的に選ぶ自由意思にある。それが否定されてしまえば、倫理道徳など消滅してしまうから、自由意思は倫理を論じる大前提のはずだ。この問いは、ＡＩ・ロボットが自由意思をもちうるか、という難問につながっていく。

われわれはノドが乾いたとき、目の前にあるコップに手を伸ばして水を飲むことができる。だから、人間が自由意思をもつのは当然だという気もしないではない。だが、近年の脳神経科学はこれに疑問をつきつける。水を飲むのは当人の自由意思にもとづく行為ではなく、消化器など身体がもたらす物理的/化学的反応、そして物理的/化学的反応を入力として具体的な細かい手足の動作をつかさどる脳神経システム、などのコントロールのもとにある行為だという理屈だ。誰か(何か)によってコントロールされるなど、所与の条件のもとである行為が因果的に生じるとき、それは「決定論」のもとにあると言われる。つまり、脳神経科学者は、身体に関する物理的/化学的な条件によってコップの水を飲むという行為が実行されたのであり、当人の自由意思などは幻想だと主張するのである。自由意思と決定論とは矛盾し両立不能と見なせるというのだ。

確かに、体調が悪いときに馬鹿な口喧嘩をして後悔するといった経験は誰にもある。だがそれなら、カッと腹を立てて殺人を犯しても、自らの意思ではなく脳の作動のせいだからと責任を逃れられるのだろうか。この問題は、軍事用ＡＩ・ロボットである自律型致死性兵器システム(LAWS: Lethal Autonomous Weapons Systems)の行為責任とも関わってくる。ＡＩ・ロボットはあくまで所与のプログラムにしたがって因果的に作動しているだけなのだが、もし人間が本質的にデータ処理機械だとすれば、両者に帰すべき責任の相違すら分からなくなってしまうだろう。

この点について、理論生物学者である郡司ペギオ幸夫が説く「天然知能」の議論はきわめて興味深い。その内容は、超人間主義的な神がかりのＡＩ観や、それにもとづく浅薄なデジタル技術信仰にたいする手厳しい批判である。郡司のアプローチは、人間をふくむ生命現象を内側からとらえるものであり、その意味では、後述するネオ・サイバネティクス／基礎情報学と共通している。だが、理論生物学者によるあくまで科学的な議論なので、ＡＩ・ロボットの研究者にも理解しやすいはずである。

天然知能とは、端的には、「われわれ人間の知性」のことだ。ＡＩ(人工知能)というのは基本的には三人称的・客観的な知性である(当該システムの目的に応じて入力されたデータだけからなるので、一人称的知性という面もあるが、内容的には三人称的である)。ゆえにＡＩは「外部」をもたない。むろん、システム内部に新たな入力データをとりこむことはあるが、その時点でのデータの集合がＡＩの世界をなしており、それ以外は無視され、存在していないのと同じである。このことは、ＡＩソフトウェアだけでなく知覚機能をそなえた物理的なハードウェアと組み合わされたＡＩ・ロボットについても言える。

一方、人間は「外部」をもっている。郡司のいう「外部」というのは、客観的に定義されて測定し計算できるような、明確な存在ではない。「想定外の何者か」なのだ。その存在は何となく分かっているのだが、予期しえないことをするかもしれないので、やってくるのをこちらが待っている他はない。そういう両義的な存在なのである。自分の世界の外部にそういうあいまいな存在が満ちている、と感づいているのが人間の知性、つまり天然知能の特徴なのだ。他人とは外部の一種であり、ゆえに郡司は人間の知性を「一・五人称的」と見なす。

では、天然知能に自由意思はあるのだろうか？――ここで有名な「トリレンマ」(trilemma)の議論が現れる。これはもともと量子力学的な議論なのだが、応用範囲が大きく拡大される。ディレンマ(dilemma)とは二つが両立しないことだが、トリレンマとは三つが並立できないことであり、言いかえるとその中の二つは同時に成立できるのである。

さて、この議論によると、自由意思、決定論、局所性の三つがトリレンマをなす。ここで「局所性」というのは元来、空間的に隔てられた二つの場所で起こる出来事を、一方が他方に影響をあたえずに知ることが可能、ということだ。これは「観察(情報取得)」に関わっている。人間をはじめ生物の認知はいわゆる観察者効果（対象を知ろうとすると対象を乱してしまうこと）から逃れられないので、多くの場合、局所性をもちえない。一方、天上の神は宇宙のすべてを同時かつ精確に知ることができるから、局所的な知性をもつ。つまり、神はある意味で「外側」から対象を観察しているのであり、超人間主義者の信じる科学技術的な観察も、実はそういう局所性が暗黙の前提なのだ。だが、生きた人間にとっての倫理的情報を考察するには、生命体として「内側」から対象を観察することが原則となる。とすると、人間は局所性を放棄することにより、自由意思と決定論を両立させることが可能だという理屈になるわけだ。

人間の意識の「内部（内側）」から対象を観察する構造について、もう少し具体的に述べてみよう。郡司による意図的な意識の構造は次のようなものである。――自分の意識をとりまくループ状に閉じた境界線が二つある。第一は意識と脳内他者（自分の脳にある身体感覚や無意識の集まり）を隔てる脳内境界であり、第二は自分と他人を隔てる自他境界だ。後者は前者をとり囲んでいる。意識にとっては脳内他者も他人もともに「外部」なのだが、二つの境界はいずれも明確ではなく、あいまいにもつれている。この「境界のもつれ」こそが、非局所性に他ならない。

意識は、身体感覚や無意識の活動を何となく感じてはいるが、明示的にはっきり知覚できないし、きちんと統御もできない。そして自分とは別の身体をもった他人も、同様にあいまいで不明確な存在であり、ゆえに適当な距離をとりつつ付き合おう、ということになる。人間の意識（心）とは、こういう物質的特性をもつので、そこでは文脈も不定で局所性が成り立たない。したがって、たとえ物理的／化学的な脳の活動によって行為が決定されるとしても自由意思を主張できる、というわけだ(なお正確には、郡司のいう天然知能はもう少し複雑である。このような平均的な知性のタイプのほかに、自他境界だけがあって決定論と局所性が成り立つ自閉症スペクトラム的な知性のタイプ、脳内境界だけがあって自由意思と局所性が成り立つ統合失調症的な知性のタイプがあり、三タイプのいわば総合として天然知能が定義される(3))。

三　内側からの観察

郡司の示す天然知能と、現行のＡＩ・ロボットで研究されている「心のモデル」との違いは、前者がもつような「(あいまいな)外部」が後者には存在しない、という点だ。後者では、研究者がまるで神のような俯瞰的立場から、心をふくむあらゆる対象を外側から観察するのだから、「外部」など無いのである。むろん、現実の「心のモデル」にふくまれるのはごく一部の対象だけで、それらは明示的に定義され記述されるのだが、それ以外の対象は無視される。有名な「フレーム問題(4)」に象徴されるように、いったいどんな対象をモデルにふくめるかの選択はそれゆえ難問となるのだ。

共感や愛情をもつＡＩ・ロボットのための「心のモデル」作成作業は、外側から心を観察し「外部」をもたない以上、きわめて困難なはずである。むろん、「あたかも心をもつかのように振る舞う

AI・ロボット」をつくることは大して難しくはない。喜怒哀楽といった心的条件をリストアップし、それらに対応する心的反応を定義して、しかるべき表情や行為を実装すればよいからである。だが、そんなAI・ロボットははたして真に他人の心を理解し、他人とコミュニケートしていると言えるのだろうか。

郡司は述べる、「そもそも心のモデルなんて書き下せるものでしょうか。いかに膨大なリストであろうと、心的条件・反応の関係は網羅できない。リストという形式で限定しながらも、リスト外部の可能性に開かれることの構えを持つ、それこそが、他者の心を理解するということではないのでしょうか」と。(5)

最大のポイントは、対象を観察する視点に着目することだ。「外側(天上)からの観察」に固執する限り、「外部」などは出現しない。生命活動について、「内側からの観察」というアプローチをいっそう徹底させたのが、生物哲学者マトゥラーナとヴァレラによるオートポイエーシス(autopoiesis)理論だと言うことができる。これは生物が「自分(オート)で自分を創出(ポイエーシス)する」という主張にもとづく理論だが、源流は二〇世紀半ばに数学者ノーバート・ウィーナーが提唱した「サイバネティクス」にまでさかのぼる。一九四八年にウィーナーによって書かれた著書のサブタイトルは「動物と機械における制御と通信」となっており、(6)当初はむしろ生物と機械の連続性・同質性という印象があった。だが、やがて二〇世紀末から二一世紀にかけ、より洗練された「ネオ・サイバネティクス」が出現すると、逆に、生物と機械の断絶性・異質性を唱える主張となっていった。そして、この断絶性・異質性を理論的に明確化したのがオートポイエーシス理論だったのである。こうして、生物はオートポイエティック・システム、非生物(機械)はアロポイエティック・システムとして明確に区別されることになった(アロは「異なる」ということ)。

生物(動物)が主体的に内側からおこなう認知活動とは、周囲環境の観察を主観的におこなうものだ。そこでは非局所性が成り立っている。この点を考慮すると、どうしても生物と機械との根本的相違が浮き彫りにならざるをえない。オートポイエーシス理論は一九九〇年代に哲学者河本英夫によって日本に紹介されたが、(7) なかなか難解なシステム理論である。厳密な定義はここでは省略するが、オートポイエティック・システムのもっとも肝心な性質はそれが生物的な「自律性」(autonomy)をもつということである。倫理道徳のベースは、善や正義を「自律的」に選べるということだから、この点はきわめて重要だ。

オートポイエティック・システムは、自己回帰的/自己準拠的に作動する。われわれの心中の思考やイメージも、時々刻々、自分の記憶にもとづいて発生するのだが、それがまたダイナミックに回帰して記憶を変えていく。つまり、心というシステムの作動の仕方は「円環」をなしており、したがって閉じているのだ。

要するに、自律性は「閉鎖性」から生まれるのである。生物は、代謝活動においては周囲環境に開かれているものの、脳神経系などの作動の仕方自体は基本的に閉じている。だから人間は電子メールの意味内容を勝手に解釈でき、誤解することも少なくない。一方、機械は開放系であり、AI・ロボットもあたえられたプログラムにしたがって忠実に作動する。あくまで他律系である機械は、自律系である生物とは根本的に異なるのである。AI社会の倫理道徳を語るとき、この点への配慮はきわめて枢要である(自律性と閉鎖性の関係についての詳細は、西田洋平の論文(8)を参照していただきたい)。

さて、閉鎖しているなら、心に「外部」はあるのかという疑問が生じてくるかもしれない。だが心配は無用である。ここでいう「外部」とは、あえて言えば、オートポイエティック・システムが自己回帰的な作動により、時々刻々とりこむ外部刺激といったものなのだ。物理的には同一の刺激でも、対応する作動はシステムによってまったく異なる。

道端に一輪のバラの花が咲いているとしよう。それを見て昔の恋人を思い出す人もいれば、スケッチの題材にしたくなる人もいるし、まったく無視して通り過ぎる人もいるだろう。つまり、バラの花を「外部」と認めてとりこむか否かは、それぞれの人の心の在り様に依存している。それが「心が閉じている」ということであり、人間が世界を「内側から観察している」ということなのである。一方、AI・ロボットは、バラの花を知覚したとしても、それによっていかなる処理をするか、あらかじめプログラムで決定されている。AI・ロボットは開放系であり、ゆえに自律性も自由意思ももたないのだ。

四　サイバネティック・パラダイムとコンピューティング・パラダイム

生物特有の「内側からの観察」というネオ・サイバネティクスの思想を体現するアプローチは「サイバネティック・パラダイム」と呼ばれる。一方、これと対比されるのは「コンピューティング・パラダイム（情報処理パラダイム）」である。これはウィーナーのライバルであり、現行コンピュータの原型を設計した数学者ジョン・フォン・ノイマンを始祖とするものだ。コンピューティング・パラダイムは、外側から対象を精確に観察記述し、万事をデジタルなデータの計算に帰着させるアプローチであり、コンピュータ技術の発展とともに情報技術の中核をなすようになった。現行のＡＩ・ロボット研究もコンピューティング・パラダイムにしたがっている。

コンピューティング・パラダイムの重要性や有効性については述べるまでもない。だが、人間とコミュニケートするといったＡＩ・ロボットのアプリケーションにおいては、これだけでなく、サイバネティック・パラダイムをも組み合わせていくことがどうしても不可欠となってくる。さもないと、人間は単なるデータ処理機械に格下げされ、残酷な抑圧が出現してしまうからだ。両者の組み合わせはいかにして可能になるだろうか。

実は、当初のサイバネティクスはコンピューティング・パラダイムの強い影響のもとにあり、外側からの視点も残存していた。ウィーナーの議論にはいわゆる情報処理に関する記述も多々あり、そこでは生物が開放系と見なされているのである。「サイボーグ」とか「サイバー空間」といった用語はこの流れから来ている。

内側からの観察という点を純粋に追求したシステム論は、物理学者ハインツ・フォン・フェルスターによって定式化され、この影響のもとに一九七〇―八〇年代にオートポイエーシス論を代表格とするネオ・サイバネティクスの思想が誕生した。これは顕著な功績だったが、同時に、大きな問題点を抱え込むことになった。ポイントはサイバネティック・パラダイムが前提とする「閉鎖性」という特徴である。

情報という概念は、工学的には開放系を前提としている。閉鎖系同士のあいだで、いかにして情報は伝達されるのだろうか？　また、個人の心が閉鎖系だとすれば、社会のコミュニケーションはどう定式化することができ、それと個々の心はどう関係づけられるのだろうか？――実際、オートポイエーシス理論においては、情報という概念は基本的に排除されている。また、ニクラス・ルーマンの機能的分化社会理論においては、社会システムは閉じており、オートポイエティックに社会的なコミュニケーションを産出するのだが、個々の人々の心はそれぞれシステムとして独立しており、社会システムと直接つながっているわけではない(9)。

こうして、情報社会において理論的に巨大な問題が生じた。機械内部や機械同士の通信・制御なら、開放系を前提としたシャノンの情報理論とコンピューティング・パラダイムで十分だろう。だが、AI・ロボットの応用分野のように、そこに閉鎖系である人間のコミュニケーションが絡んでくると、どうしてもサイバネティック・パラダイムにもとづく分析を導入し両者を組み合わせていかなくてはならない。具体的にはチャットボットと人間との会話や、機械翻訳を想起すれば明らかだろう。コンピュータはプログラムにしたがって文章中の記号を形式的に処理するだけだが、人間は時々刻々、新たに意味解釈をおこなうため、どうしてもギャップができ、不具合が生じることになってしまう。

われわれが構築している基礎情報学(Fundamental Informatics)は、サイバネティック・パラダイムのもとでこの巨大な問題の解決をめざし、さまざまな課題と取り組んでいる。詳細は注にあげた文献にゆずり、ここでは簡潔にその骨子だけを述べる。[10] まず、「情報」という概念のとらえ直しをおこなわなくてはならない。これが第一のポイントである。情報の定義は種々あるが、基礎情報学では情報を三つに分類する。もっとも根源的なのは「生命情報」(life information)であり、これは、生物によってオートポイエティックに創出される、意味をもつ広義の情報のことだ。閉鎖系内部で産出されるので、生命情報を直接他の閉鎖系に伝えることはできない。伝達のために記号化をおこない、生命情報を共通の記号で表現したのが「社会情報」(social information)だ。これが言葉や合図などの、いわゆる狭義の情報である。ついで、社会情報を時間空間をまたいで効率よく流通させるために、最狭義の情報である「機械情報」（mechanical information）が用いられる。機械情報というとコンピュータで処理できるデジタルなデータが典型的だが、数千年前につくられた文字も機械情報の一種に他ならない。

たとえば、胃腸の「痛み」を感じる時、それ自体は生命情報で、内側から観察されるものである。だが、医師の診察をうけて「昨日食べたもののせいか、お腹がしくしく痛むんです」と言うなら、それは（近似的にせよ）意味を伝えるための社会情報である。そして医師が「食中毒」と診断し、パソコンで患者用のカルテのデータを入力するとき、そこで機械情報が出現するのである（「食中毒」はJIS16進コードで「3F29 4366 4647」）。ある町で食中毒が多発しているなら、そのデータはＡＩのプログラムなどで統計的にコンピュータ処理されるかもしれない。ただし、「生存」という生き物の目的と一体なのが「意味」だから、ＡＩは食中毒の「意味」を本質的に理解しているわけではまったくないのだ。

このように、情報というものは本来、閉鎖系のなかで発生するものであり、開放系である機械はその一部を形式的に処理するだけである。機械情報のみを「情報」と見なすとき、この枢要な点が看過され、人間は一種の機械部品と化してしまうのである。ＡＩ・ロボットの活用においては、必ずこのことに留意しなくてはならない。

第二のポイントは、個人の心的システムと個人が属する社会システムとの関連づけである。個々の心は閉じており、本質的に自律的だが、同時に社会的な制約を受けていることに気づくことが肝心である。社会的な制約のもとでわれわれの思考活動がおこなわれていることは述べるまでもないだろう。

法律はむろんだが、そもそも言語自体が文法や語彙といった秩序体系をもっており、大きな潜在的制約となっている。原理的には人間はどんなことでも自律的に思考可能だが、社会的制約を守らなければ、事実上われわれは社会生活を送れない。社会的制約が、社会システムのコミュニケーションを成立させ、また閉鎖系同士での疑似的な意味伝達つまり社会情報の交換を可能にしているのである。

この点を明確化するために、基礎情報学では閉鎖性と開放性の理論的な架橋を試みる。具体的には、あるオートポイエティック・システムAの作動の結果をいわば素材として、別のオートポイエティック・システムBが作動するとき、「AはBの下位にある」という階層関係を導入するのである。たとえば、個人の心的システムは社会というシステムの下位にある、ということになる。重要なのは、ここで視点移動という操作がおこなわれることだ。視点が個人の心的システムにあるとき、個人の思考はあくまで自律的(オートポイエティック)に産出される。一方、視点を社会システムに移すと、そこでは社会構成員の発する社会情報を素材としてコミュニケーションが自律的(オートポイエティック)に産出される。肝心なのは、このとき、社会の視点から見ると、個々の社会構成員の心は一定の制約にしたがう他律的(アロポイエティック)なものと化す、という点なのだ。このようなシステムを基礎情報学では「階層的自律コミュニケーション・システムHACS」(Hierarchical Autonomous Communication System)と呼ぶ。(11) これはいわゆるオートポイエティック・システムの理論的拡張になっている(図1)。

たとえば、企業と社員を考えると、社員は心中では何でも考えられるが、会社の会議では通常、議

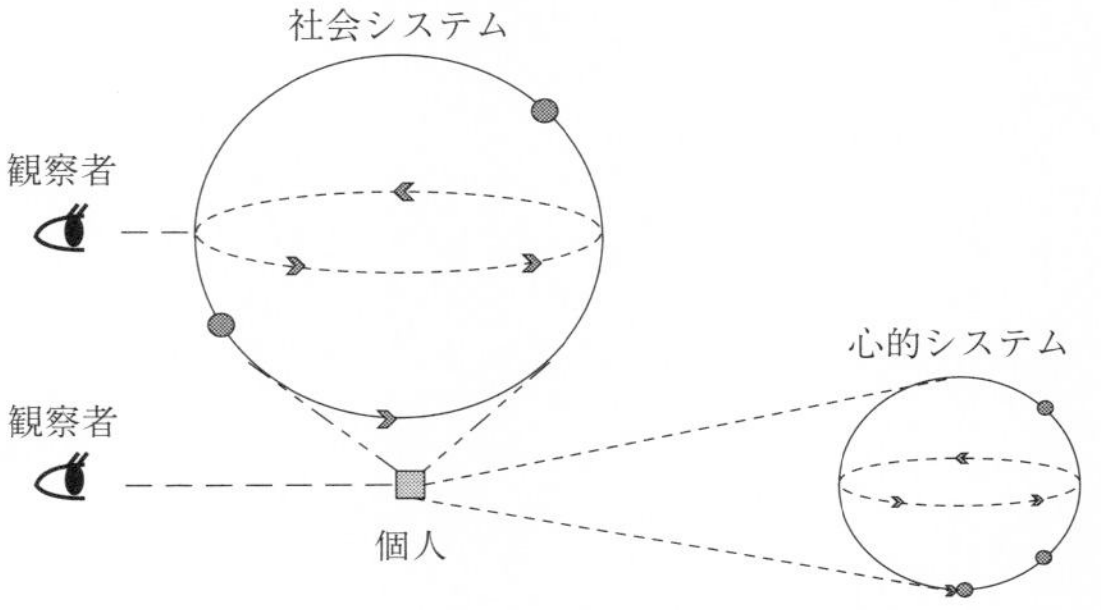

図 1　HACSによる視点移動

題に関する一定の枠内の文脈での発言しかおこなわない。つまり、企業が課する制約が、コミュニケーション（疑似的な情報伝達）をもたらしているのだ。

基礎情報学はネオ・サイバネティクスの一環だが、このＨＡＣＳという階層的なモデルは、ＡＩ時代の倫理道徳を考察するとき、きわめて有効である。というのは、社会システムの視点に立つとき、他律的（アロポイエティック）なＡＩ・ロボットも、本来は自律的（オートポイエティック）な人間と近似的に同格となるからだ。ここに、サイバネティック・パラダイムとコンピューティング・パラダイムという二つのパラダイムを相互作用していく方途が見えてくる。

ただし、このアプローチで倫理道徳を考えるとき、きわめて注意しなくてはならない点がある。個人の道徳心は社会的な倫理規範という制約のもとにある。だがそれは必ずしも静的・構造的な関係ではない。短期的には社員の心的システム（下位）は企業という社会システム（上位）の倫理規範という制約にしたがわなくてはならないが、もしそれが（厳しすぎる職場の服装強制など）著しく不合理だと判断される場合、長期的には、倫理規範をボトムアップで動的に変えていくことも可能なのである。[12] ＡＩ・ロボットは人間とちがい個別の自律的な道徳心をもたないので、こういうことは不可能だ。とはいえ、ＡＩ・ロボットがエージェントとして企業のコミュニケーションに参加し、構成員の道徳心や倫理規範に間接的に影響をあたえることはできる。とりわけ、インターネットのなかでＡＩエージェントは大きな影響力をもちうるので、この点は今後、重要な議論となってくるだろう。

大切なポイントは自由意思である。前述の郡司の天然知能論においては、自由意思はもっぱら個人の心（意識）のレベルでとらえられている。だが人間の自由意思は多くの場合、社会的制約に抵触しつつも個人が自分の道徳心や価値観をつらぬくべきか、という局面で問われることが多い。こういう問題を議論する際には、社会と心にまたがる基礎情報学のＨＡＣＳモデルが効果を発揮するのである。

ＡＩなど開放系のみを扱うコンピューティング・パラダイムのもとでは、右のような議論は不可能なことを強調しておこう。俯瞰的な観点からみれば、明示化された対象群、そしてそれらを統御する秩序ルール以外は認められない。つまり、法律などの社会的メカニズムも脳神経メカニズムも、原理的には同一の論理空間に写像されるので、社会と心にまたがる自由意思の機制など雲散霧消してしまうのだ。

五　日本人にとってロボットとは

実社会へのAI・ロボットの応用を考えるために、ここで日本人とロボットとの特別な関係についてふれておこう。日本では以前から産業用ロボットを中心にロボットの研究開発が非常に盛んであり、先進国のなかでも際立った存在だった。専門家によれば、コンピュータ関連分野でロボットの研究開発に従事する者の割合を比較すると、一九九〇年代末、米国の四―五倍はいたのではないかという(13)。二〇世紀後半の日本の経済発展の一因は、高質の産業用ロボットの活用だったとさえ言えるのだ。逆に言えば、少なくとも近年まで、西洋とくにヨーロッパでは、ロボットにたいする興味や関心がそれほど盛り上がらなかったのである。

この点について、日本では鉄腕アトムや機動戦士ガンダムなどが息の長い人気を保ってきたことがよく指摘されるが、それだけではない。ペットロボット犬AIBO（aibo）のような、いわゆる商用娯楽ロボットがかなりの市場を獲得していたのに、欧米ではそれが無かったことも顕著な特徴である。AIBOは九〇年代末にソニーから発売され、いったん販売が中止されたものの、二〇一〇年代からaiboと改称し機能を上げて再登場し、今なお人気を獲得している。この相違は何に由来するのだろうか？――パリのソニー研究所で初期のAIBO開発に参加した工学者フレデリック・カプランは、この問題を著書『ロボットは友だちになれるか――日本人と機械のふしぎな関係』において詳しく考察している(14)。

研究者としてカプランが羨望と共感をおぼえるのは、多くの日本人が娯楽用ロボットに親しみ、温かく迎え入れるという事実である。ＡＩＢＯのようなロボットを創り出し、商品として売り出すまでの技術的工夫と努力は大変なものだ。それなのに、自分の同胞である西欧人はいったいなぜ、ロボットという存在に一種の嫌悪感と反発を示すか、とカプランは問いかける。理由として指摘するのは、ユダヤ＝キリスト一神教という文化的・宗教的な伝統に他ならない。神という造物主が創った宇宙においては、神聖なロゴスにもとづく秩序が体現されているはずである。ロゴスは論理であり真理でもあるのだ。一介の被造物である人間が、造物主にならってロボットという怪物を創作することは、聖なる秩序を乱し、神を冒瀆する恐ろしい行為であり、ゆえに創作物から復讐される運命を招かずにはいない、というわけだ。この種のストーリーは、『フランケンシュタイン』『未来のイヴ』『Ｒ・Ｕ・Ｒ』など、西洋では数多い。「ロボット」という名称自体、奴隷労働に従事させられた人造物であるロボットが人間に反逆する、というカレル・チャペックの戯曲『Ｒ・Ｕ・Ｒ』から来ているのである。

カプランの指摘は確かに納得がいく。たとえ信心深いユダヤ教徒やキリスト教徒でなくても、宇宙が論理的秩序をもつという基本的な信念は西洋世界にしっかり根を張っている。世俗的な欧米人でさえ共有している常識なのだ。だからこそ、論理的秩序を探究していく宇宙的知性への憧れが生まれ、それがひるがえって、超人間主義が主張される根拠にもなる。コンピュータやＡＩとは、元来こういった宗教的背景から出現したとも言えるのだ[15]。西洋文明においては、科学技術と人間の行為のあいだに宗教的背景にもとづく一種の緊張関係があり、それが人新世といった概念をはじめ過激な文明批判につながっていると考えることもできるだろう。

一方、カプランによれば、日本の伝統的精神には人工物と神のあたえた自然とを峻別するという思想はとぼしい。例示されるのは、千利休と古田織部による茶室の有名なエピソードである[16]。そこでは自然と人工とがいわば一体となり、霊妙な反物《たんもの》を織り上げるごとく美の空間が醸し出されるのである。これこそが「和魂」であり、そこでは、万物自生のアニミズム的な心情をベースとし、美意識にもとづく霊性が探究されていく、というわけだ。端的には、日本の科学技術とは和魂洋才であり、それは「融合せず、手なずける」というものだとカプランは主張する。つまり、自らの伝統的精神を固有の中核として保ちつつ、西洋からの異質な科学技術を周辺に置いて手なずけ、上手に有効利用していくのが、日本の科学技術者の方法論に他ならないのである……。

ロボット学者カプランによる以上のような分析は、なかなか興味深く、それなりの説得性をもつものだ。筆者の体験から言っても、日本の工学的な研究開発の現場では、固有の文化的慣習が温存されている。欧米から輸入した科学技術を、その中核部分まで踏み込まず、巧みに表層部分を有効利用し、もっぱら改善に邁進するという態度は、明らかにこの国の科学技術の特色だと言ってよい。

とはいえ、はたしてそういう日本の科学技術の特色は、自動車や家電の開発ならともかく、ＡＩ・ロボットの社会的活用という局面で望ましいものなのだろうか。とりわけ人新世におけるＡＩ・ロボットの主な役割は、ペットのような娯楽だけでなく、介護や道案内など、何らかの判断にもとづいて一般の人々にサービスを提供することにある。そこではメカニックな可愛らしさよりむしろ、自然言語処理のようなＡＩの機能が問われるのだ。心をもつ機械の開発と実用は、人間の思考や価値観の中核に関わってくるのである。

ここで筆者は、一九八〇年代の「第五世代コンピュータ開発計画」を想起しないではいられない。ＡＩブームは、一九五〇―六〇年代の第一次ブーム、八〇年代の第二次ブーム、そして二〇一〇年代後半から現在の第三次ブームと、三回起きた。第一次のときは日本にほとんどコンピュータが無くてあまり話題にもならなかったが、第二次のときは日本が目覚ましい経済発展をとげた直後でもあり、欧米にさきがけて最先端のコンピュータをつくるという遠大な目標が立てられた。旧通商産業省が主導して産官学の英知を結集し、五〇〇億円(今なら数千億円)以上という巨額の予算規模のもとに、戦後最大の一〇年間プロジェクトが実行されたのである(筆者も、日立製作所からオペレーティング・システムの専門家として短期間ながらこれに参加した)。

第五世代コンピュータという命名は、ハードウェア論理素子の違いから来ている。第一世代は真空管、第二世代はトランジスタ、第三世代は集積回路、そして第四世代は(超)大規模集積回路というわけだ。だが、第五世代コンピュータは、単に新素子によるハード的な高速化ではなく、抜本的な機能改変をめざしていた。つまり、「人間の言葉を理解し、人間とコミュニケートしながら問題を解決するコンピュータ」をつくろうとしたのだ。このため、人間のもつ膨大な知識命題を論理的に組み合わせ、効率よく結論を導くコンピュータの研究開発がめざされた。端的には高速の演繹推論マシンである。多様な条件のもとで、所与の論理命題を組み合わせ、演繹的に結論を導けば、それはまさに問題を自動的に解決するコンピュータではないか、という発想である。具体的には、「並列推論マシン」と呼ばれる、論理命題を直接入出力して命題群を並列処理するハード／ソフトの研究開発が目標とされたのだ。

さて、この第五世代コンピュータ開発は成功したのだろうか？――技術的には成功したが、実質的には失敗だったと言ってよい。コンピュータは直列処理が基本だから、並列推論を直接おこなうシステム開発の難度は非常に高い。多数の課題を克服し、これをたった一〇年で完成させた日本の技術陣の能力と努力はまことに賞賛に値する。しかし、実際には、せっかく完成した並列推論マシンはほとんど実用に供されることはなかったのだ。一九九〇年代以降、第四世代コンピュータの事実上の後継機種となったのは、パソコンやワークステーション、またそれらを結ぶインターネットだったからである。それは並列推論マシンとはまさに正反対のコンセプトによるコンピュータだった。要するに、一台のコンピュータ内部で自動的に高速推論する機械ではなく、使いやすいマンマシン・インタフェースをそなえ、多数の人間の思考を効率的に組み合わせる安価な機械こそが、新世代コンピュータの実像だったというわけである。(17)

六　人新世をいかに生き抜くか

ＡＩ・ロボットを研究開発し、それを倫理的に社会で活用していくためには、一九八〇年代の第五世代コンピュータ開発の失敗の原因についてよく考察することが不可欠なはずである。だが残念ながら、多大な血税を費やしたにもかかわらず、事後に失敗の原因の分析や反省が十分なされたとはとても思えない。当時はインターネットも無くデータが不足したからだ、といった声が聞こえてくるのがせいぜいである。この分析は的を射ていない。本質的な原因は、プロジェクト首脳陣が人間の思考とは何かについての洞察を欠き、表面的な技術的改善のみに走ったことにあったのだ。

人間が生活する上での実践的思考とは、単なる論理的な演繹だけではなく、そこに直観的な仮説推論が組み込まれているということは、ごく当たり前の常識である。医者は患者の症状データから自動的に病名を演繹するのではない。症状データからさまざまな可能性を考え、理論と体験にもとづいて仮説を立てながら、患者とリアルタイムで対話しつつ現実の治療行為をおこなうのである。だが、宇宙が論理的秩序をもって構成されているという一神教的な思考からは、別の発想が出てくる。十分な症状データとそれらを高速で組み合わせる論理演算機械があれば、絶対に正しい効率的診断ができるはずだ、という信念である。第二次ブームのＡＩはそういう信念にもとづくものであり、米国では、医者のかわりに診断する実験システムもつくられた。しかし一方、欧米にはそういう信念の限界を批判する知性もある。ゆえに誤診の責任が指摘され、結局、実験システムは実用に供されずに終わった。(18)ところが第五世代コンピュータ開発の首脳陣は、文化的・歴史的にはそんな信念とは無縁だったにもかかわらず、深い理解もなく欧米の信念を丸ごと輸入した。そして、当該信念を実現する効率的なハード／ソフトの研究開発に邁進したのである……。

第五世代コンピュータとは、いわば和魂洋才の典型的な失敗例と言える。「才」が「魂」つまり心とか思考とか価値観などに関わるとき、このアプローチはうまく機能しないのだ。同じことが、現在の第三次ブームのＡＩ・ロボットについても言えるのではないか。

第三次ＡＩブームは、厳密な演繹推論をあきらめ、そのかわりに統計的推論をコンピュータで機械的に実行する、という発想にもとづいている。いわゆる深層学習はその代表である。(19)人間の思考には統計的推論もふくまれるので、この方向性自体をとがめるつもりはない。だが、推論のプロセスに確率誤差をふくむ不透明性が入り込むので、これにたいする慎重な配慮が必要となる。社会的な決定や判断には、自律性を前提とする自由意思や、これにともなう責任という問題がからむ。ところが、そこに一神教的な信念をもつ超人間主義者が出現し、「心をもつ機械」という幻想を持ち込むと困ったことになるのだ。下手をすると「AI・ロボットは自律性をもつ」と見なされ、多くの人間はまるで機械部品のようにその決定にしたがうことになってしまう。ＡＩ・ロボットを操作できるのは一部のエリートだから、これは二一世紀の新たな支配形態に他ならない。人新世の脅威が、科学技術を短期的な自己利益のために用いる一部のエリートによってもたらされるとすれば、ＡＩ・ロボットはその一翼を担うことになるのだろうか。

本書で問われるＡＩ・ロボット倫理とは、そうならないための方途を探るもののはずだ。結論を明確にするために、ここで、ＡＩ・ロボットのサービスを提供する研究開発者と、サービスを受容する一般の人々という両者の側から、この方途について考えてみたい。

まず前者のサービス提供側に注目すると、率直にいって、現状はかなり深刻だという気がする。人新世の最大の危険は、地球環境が破壊され、人間をふくめた生命の尊厳が損なわれる、ということだ。これを防ぐには、「情報から生命へ」の価値転換が不可欠だという指摘は正しい。ここでいう情報とは、前述の「機械情報」つまりデータが中心である。それらを「生命情報」からとらえ直す作業が急務なのだが、こういう価値転換をおこなう知こそ、まさにネオ・サイバネティクスであり基礎情報学に他ならない。こういった知は、生命活動を内側から眺めるサイバネティック・パラダイムにもとづいている。

一方、コンピューティング・パラダイムにおいては、生命活動を外側から眺め、万事をプログラムによるデジタルなデータ分析に還元していく。このとき、エリート支配層の視点が事実上「神の視点」と化すので、実行される数学的最適化はせいぜい、一部の既得権益集団を利するものとなりがちだ。そして現在のＡＩ・ロボット研究の主流は、あまりにコンピューティング・パラダイムに囚われすぎてはいないか。

ＡＩ・ロボット研究者のなかには、生物と機械は連続しており同質だと主張する者も多いが、コンピューティング・パラダイムからは確かにそうなるだろう。シミュレーション・モデルでパラメータを調整していけばそう見えてくるのは当然だ。こうして「自律的な機械」という、論争の的になる概念が現れる。しかし、世界の「意味」をとらえるのは生命特有の能力だと見なすサイバネティック・パラダイムからは、真にラディカルな自律性は生物しかもたないことは明らかである。機械と生物の異同を直視することが、人新世で生命の尊厳と生存環境を機械的破壊から守るための第一歩なのだ。

なぜなら、人新世で予測を越えて傷ついていく地球環境の「意味」を、想定外の「外部」をふくめダイナミックにとらえられるのは生物だけだからである。「外部」とはたとえば、コロナ禍や異常気象といった、詳細不明の面妖な存在だ。自然のもつ復元力を越えて地球環境を傷つける元凶、たとえば副作用の大きい巨大技術などは、人間社会の厳格な内部秩序にもとづいて作動している。そこで想定されない面妖な存在は、ＡＩ・ロボットではなく、生きた人間によって感知される他はない。ところが、超人間主義的なコンピューティング・パラダイムを徹底すると、人間はあいまいな「外部」から遮断され、精密なデータ処理機械となることを求められる。そして自由意思を抑圧され、あらかじめ社会の内部秩序によって規定された型通りの行動しかとれなくなってしまうのである。

断っておくが、脳神経系を外側から分析しコンピュータでシミュレートすることで得られる知見もあるだろうし、その学問的意義を全面否定するつもりはない。だが、サイバネティック・パラダイムによる知を無視すると、自律性にもとづく自由意思や責任についての倫理的議論は迷走し、二一世紀の未来は暗澹《あんたん》たるものと化していくだろう。

とはいえ希望もある。少数だが、自律性という難問と正面から向き合おうとするＡＩ・ロボット研究者も出てきつつある(20)。また後者、つまりＡＩ・ロボットのサービスを受ける一般の人々の側に着目すると、新たな構図が浮かび上がってくる。この点は重要なので強調しておきたい。根源的な自律性つまり意味形成力をもつのは人間のような生き物だけだとしても、だからこそ一方、われわれが眼前のＡＩ・ロボットをまるで生き物のように感じること、つまり「疑似自律性」も生じてくる。この疑似自律性を悪用して人々が支配され抑圧されては困るが、たとえば介護施設の老人や難病の子供たちがＡＩ・ロボットと交流し、心が安らいで元気になることもあるだろう。

カプランが指摘したように、日本人の伝統的宇宙観には、万物が自生し変転していく、という思想がある。これは万物が厳密に論理的な静的秩序をもつと考える西洋人との文化的相違である。ゆえにわれわれ一般日本人はもしかしたら、サービスしてくれるＡＩ・ロボットと適切な距離感をもてるのではないだろうか。相手は生きていないと分かっていても、ひとまず生きていると見なそうという、一種の演劇的虚構である。これは郡司のいう「境界のもつれ」であり、ＡＩ・ロボットは人間から見ると「新奇な外部」となりうるのだ。

人間の意識にとって自分の身体とはあいまいな存在であり、ＡＩ・ロボットは本物の身体などもっていない。だが、それらが興味深い「メディア」として人間の身体感覚に訴え、新たな生活環境を拓く可能性は十分ある。触覚に着目して従来にない工学を拓こうとする渡邊淳司の研究は、ＡＩ・ロボットを介した新鮮な人間関係の訪れを想起させる。(21) この国のＡＩ・ロボットの倫理的活用とは、生物と機械の相違をふまえつつも、サービス受容者の声に真摯に耳をかたむけ、きめ細かい関係性を築いていく努力にあるのではないだろうか。

（1）　超人間主義者として、シンギュラリティ仮説を唱えた未来学者レイ・カーツワイル、「人類の未来研究所」所長の哲学者ニック・ボストロム、「生命の未来研究所」を設立した理論物理学者マックス・テグマークなどが知られている。

（2）　原島大輔「ダークインフォメーション」、『現代思想』第四五巻第二一号、二〇一七年、二三六―二四五頁。

（3）　郡司ペギオ幸夫『天然知能』講談社選書メチエ、二〇一九年、第七章。

（4）　無限の出来事のなかで当面の問題に関わるものを選択し枠組みをつくることが、人間と違ってＡＩには困難だということ。

（５）郡司『天然知能』、三七―三八頁

（６）N. Wiener, *Cybernetics: or Control and Communication in the Animal and the Machine*, The MIT Press, 1st ed. 1948, 2nd ed. 1961.（ウィーナー『サイバネティックス――動物と機械における制御と通信』池原止戈夫ほか訳、岩波文庫、二〇一一年）

（７）H. R. Maturana and F. J. Varela, *Autopoiesis and Cognition*, Springer, 1980.（Ｈ・Ｒ・マトゥラーナ、Ｆ・Ｊ・ヴァレラ『オートポイエーシス――生命システムとはなにか』河本英夫訳、国文社、一九九一年）

（８）西田洋平「生命の自律性と機械の自律性」、河島茂生編著『ＡＩ時代の「自律性」――未来の礎となる概念を再構築する』勁草書房、二〇一九年、四五―六八頁。

（９）ルーマンの機能的分化社会理論における社会コミュニケーションの成立は情報と関わるが、種々の社会システムと個人の心的システムは独立しており、たかだか「相互浸透」(interpenetration) の関係にあるとされるだけなので、心のあいだの情報伝達の扱いは難しい。

（10）西垣通『基礎情報学――生命から社会へ』二〇〇四年、『続　基礎情報学――「生命的組織」のために』二〇〇八年、『新　基礎情報学――機械をこえる生命』二〇二一年、以上、ＮＴＴ出版。

（11）西垣『続　基礎情報学』、第一章。

（12）西垣通・河島茂生『ＡＩ倫理――人工知能は「責任」をとれるのか』中公新書ラクレ、二〇一九年、一三一―一四四頁。

（13）松原仁『鉄腕アトムは実現できるか？――ロボカップが切り拓く未来』河出書房新社、一九九九年。

（14）F. Kaplan, *Les Machines Apprivoisées*, Vuibert, 2005.（フレデリック・カプラン『ロボットは友だちになれるか――日本人と機械のふしぎな関係』西兼志訳、ＮＴＴ出版、二〇一一年）

（15）西垣通『ＡＩ原論――神の支配と人間の自由』講談社選書メチエ、二〇一八年。

(16) カプラン『ロボットは友だちになれるか』、一五八―一五九頁。および A. Berque, *Le Sauvage et L'Artifice*, Gallimard, 1986.(オギュスタン・ベルク『風土の日本』篠田勝英訳、ちくま学芸文庫、一九九二年、二四七―二六〇頁)

(17) 西垣通『ペシミスティック・サイボーグ――普遍言語機械への欲望』青土社、一九九四年、第八章。

(18) 米国スタンフォード大学で一九七〇年代に開発されたMYCINは、伝染性の血液疾患を自動診断するエキスパート・システムだった。

(19) 人工知能学会監修・神嶌敏弘編『深層学習 Deep Learning』近代科学社、二〇一五年。

(20) 谷口忠大「ロボットの自律性概念」、河島編著『AI時代の「自律性」』、九七―一三〇頁。

(21) 渡邊淳司『情報を生み出す触覚の知性――情報社会をいきるための感覚のリテラシー』化学同人、二〇一四年。

第二部

ロボットとケア

第三章　非規範的な倫理生成の技術に向けて

ドミニク・チェン

現代は人間社会の倫理観が大きく揺らぎ、再構築が求められている時代である。さまざまな性差別や人種差別、その他の迫害の事例が連日ＳＮＳや報道で明るみに出ており、加害と被害の構造解明と解消への筋道が要請されている。また、地球温暖化に象徴される環境破壊問題も年々深刻さを増しており、自然保護や動物愛護の機運が高まっている。そして、情報技術をめぐっても近年、多くの社会的問題が浮き彫りになりつつある。たとえば、利用者個人の行動履歴から当人の趣向性を推測し、同質性の高くかつ刺激の強い情報を提示し続けるＳＮＳやスマートフォンアプリケーションのレコメンデーションエンジンは、個人レベルにおいては抑うつ傾向、社会レベルにおいては政治的分断を助長している可能性が指摘されている。

本章はＡＩとロボットの倫理を考察する文脈に位置づけられているが、上記の問題はすべて、対象に対するケアの観点が欠落しているという一点において共通している。ここでケアが欠落している行為主体は誰かといえば、それはあくまでも人間である。そして、ケアの欠落によってダメージを負うのも常に人間である。人間中心主義的に設計された技術は短期的には人を利するかもしれないが、自然環境への影響の配慮が足りなければ、結局は人間が住める世界を狭めることにつながる。社会的マイノリティへの意識的、無意識的な差別の構造を理解し、包摂的な社会構築の議論を経ずして、倫理的な情報技術の設計も行えない。でなければ、常に情報技術の設計は、設計者の認知バイアスに起因する問題が明るみに出るたびに対症療法を行わざるをえない。私は、人の愚かさが露呈してしまってから対策を練るという繰り返しを続けられるほど、現在の人間社会には余裕は残されていないと考える。

しかし、同時に、禁止規定によって人を縛り上げることのみによって、人間社会の倫理を回復したり生成できるとも思えない。まず、実効性の観点において疑念が生じる。人に危害を加えてはならないという理念を共有したところで、短期的に収益増加を最大化しようとする企業の力学が抑止できないことはここ一〇〇年ほどの歴史が証明し続けている。いわゆるグリーンウォッシュと呼ばれる環境に配慮したように見せかける商品群が後を絶たないことも思い出そう。ここで明らかなのは、少なくとも社会レベルにおいて、そしてこれまでの歴史においては、人類は長期的に価値を醸成し、維持し続けることに失敗し続けているという事実である。

次に、禁止という行為が制御の思想に拠って立っているという問題がある。制御とは、思い通りにならない対象の自由を奪い、押さえつけることである。放っておけばどんな害悪を起こすかわからない、思い通りにならない相手の自律性に制限をかけることで秩序をもたらそうという考え方は、根源的に正当化されうるのだろうか。たとえば米国でいまだに大きな社会問題となっている人種差別、特にアフロ・アメリカンに対する社会規模の差別の構造を学べば、既得権益を握る政治的、経済的な強者の層が彼らの投票の自由、経済的自立の自由、移動の自由などさまざまな自由を制度的に奪いながら、マイノリティの自律的な社会参画を阻んできたことがわかる。この歴史的迫害に対する反省として有効なのは、差別の禁止という理念をただ掲げるだけではなく、実際に迫害の被害者たちに社会参画への道を拓き、その自律性を助ける実効的な施策を実現することである。それには、社会的マイノリティがマジョリティに奇異の目で見られないように文化的なリプレゼンテーションの機会を報道やマスメディアを通して増やすことから、政治や経済における社会的な合意形成の場における席を用意することまで、実に多くのアクションが必要である。

倫理とは、だから、机上の理念ではありえない。ethos の語源のひとつは「獣道」だが、倫理とはその意味では具体的な行動の軌跡の中で生成され、形をとる価値のことである。ケアが欠落しているという問題に対して、禁止規定を設けていてもケアの道が生まれないとすれば、ケアを生み出す具体的な行動をつくり出すという観点こそが倫理の議論の核心に位置づけられるだろう。このように倫理を捉えることによって、旧い時代の道徳は参考になりこそすれ、現代、そして近い未来の社会にそのまま適用できるものではなく、時代ごとの文脈に適応しながら常に新しい関係性を生み出す力学だと理解できる。

ここから、異質な他者へのケアが生み出される契機について考えるために、まずはロボット文学を生み出したカレル・チャペックの作品をふりかえり、次に環境哲学の議論における非規範的倫理の生成概念へとつなげていこう。

一 「弱いロボット」から学ぶ愛着の育て方

カレル・チャペックの『R・U・R』は、初版から約一〇〇年が経過した今日でも、新鮮な気持ちで読むことができる戯曲作品である。読者は、人間と人工的に作られた「ロボット」を分かつものは何なのかを、この不穏な物語を通して問い続けることになる。

チャペックが描くロボットは、現代的な無機質の機械ではなく、有機的な身体を持った人造人間のようである。ロボットたちは設計者である人間によって機械的に妊娠させられ、そして機械的に治療されながら、逆に自分たちが生存するために人間性を消滅させようとする。その結果、ロボットたちは自己複製、つまり生殖の知識を完全に失ってしまう。しかし、物語の最後で二人のロボットの間に愛情と自己犠牲の気持ちが芽生える。ここで読者は、ロボットの未来よりも人類の再生を想起させられるだろう。

重要なのは、この物語では、ロボットの生来の不妊性が、彼らを支配する人間を襲う謎の不妊性と重なっていることである。この象徴性からは、ノーバート・ウィーナーが人間と機械の関係について書いたことが思い起こされる。

> 真の危険性は、〔中略〕そのような機械は、それ自体では無力であるにもかかわらず、人間が〔中略〕他の人類に対する支配を強めるために使用するかもしれないし、政治的指導者が〔中略〕あたかも機械的に考えたかのように、人間の可能性に対して狭く無関心な政治的手法によって、人を支配しようとするかもしれないということである。(1)

今日、センセーショナルな記事の多くが人工知能の無慈悲さについて説いているが、チャペックの物語とウィーナーのメッセージを合わせて考えると、恐ろしいのはテクノロジーそのものではなく、それを使って他人の自律性をコントロールする人間であることを認めるべきだろう。

憎しみが憎しみを呼び、愛情が愛情を呼び起こす。チャペックの話の中にあるこの自然な前提は、今日でも有効であると思われる。私たちは、インターネットに接続されているほとんどすべての市民に感情の伝染が起こる、情報のエコーチャンバーに生きている。米国や欧州でも、ここ日本でも、政治家が外国人や社会的マイノリティに対する差別的発言を平然としたりすることは、今や日常茶飯事である。そこに、相反する陣営に分かれている一般の人々が、鳥の大群のように一斉に反応し、どよめく。今、私たちの社会が失っているのは、これまで自然発生的な二極化を防いできたニュアンスのある思考だと言えるだろう。

興味深いことに、この現象は「愛情」の概念と大きく関係している。全世界が敵と味方に分かれる二極化の過程を経て、私たちの愛情の概念は消滅しないまでも、劇的に変化している。愛着を深めるためには、敵か味方かという判断を保留し、共に時間を過ごすことが必要だからだ。

あらかじめ定義されたラベリングは、常にコミュニケーションの近道として機能し、それ以下でもそれ以上でもない。カール・シュミットに倣って、あらゆる政治的行為は敵と味方を区別することで成り立っていると考えれば、機械学習や人間の本能によるラベリングという考えがいつまでも続いていて、生き地獄にしかつながらない。逆に言えば、この地獄では、あらゆるコミュニケーション行為が政治的なものになってしまうのである。

それでは、どうすればこの悪循環から抜け出せるのだろうか。他人をコントロールすることを目的としない、別のコミュニケーション・パラダイムを採用しなければならないだろう。たとえば、豊橋技術科学大学の岡田美智男は「弱いロボット」のデザインと、その社会的相互作用への影響について研究している。岡田のチームは、ゴミ箱を模したロボットを作った(2)。このロボットの本体はまさにゴミ箱で、カメラと車輪が付いているので、床に落ちているゴミを検知して移動することができる。ただし、このロボットにはゴミを拾うためのアームがない。そして公共の場に置かれると、通行人がロボットの前で立ち止まり、やがてゴミを拾ってロボットの缶の中に入れるという、かわいそうな機械を助けるかのような光景が見られる。

なぜ不自由なロボットが周囲の人間の協力を引き出すのか。それは、自律的に仕事をこなせない弱い存在であるがゆえに、思いやりの気持ちを呼び起こすことができるからだと考えられる。東洋の仏教文化においては、弱さと愛情が密接に結びついて「愛らしさ」という概念がある。これを漢字で表すと「可愛」となり、仏教文脈の漢文から現代語に訳すと「愛すべき」となる。また、「愛」という漢字は、三つの部分で構成されている。「愛」の古字は「炁」であるが、「旡」は後ろを振り返る人、「心」は「足」を表している。つまり、「愛」とは、ゆっくりと歩きながら後ろを振り返りたくなる、という人の感情を表している。このような語源から考えると、「可愛」とは、記憶と忘却の間で揺れ動くこの世の儚《はかな》さを目の当たりにしたときの、ため息のような感情であると理解できる。

この概念は、最初は仏教の伝統に由来し、サンスクリット語から中国語に翻訳された後、日本の文化に取り入れられた。現代では、「可愛」は日本語と中国語の両方で「かわいい」という意味を持ち、アルファベット表記の「kawaii」は国際的にも使用されるようになっている。興味深いのは、ポップカルチャーの表現によく使われるこの形容詞が、仏教の文脈では貧者や病者といった社会的弱者を表

図1 Qoobo(左)とLOVOT(右)

すのに使われていたことだ。

弱くてかわいそうな存在が、愛らしさや愛情を呼び起こすという考え方は、現代のロボット工学にも影響を与えている。近年の日本のロボット製品では、ユカイ工学の「Qoobo」やGROOVE X社の「LOVOT」などがその傾向をよく表している。Qooboは、撫でたり揉んだりすると反応する尻尾付きの柔らかい毛の生えたクッションである。LOVOTは「役立たずだが愛すべきロボット」としてデザインされており、パートナーである人間の行動を学習し、愛情を表現することができる(図1)。

弱くて不自由なロボットの特徴を別の言い方で表現すると、「周囲の人間に依存している」ということになる。ロボット工学の伝統的な考え方では、この特徴は役に立たないものとみなされてきたし、一般的な工学においても同様だろう。近代以降の産業は、人間のために根気強く働くことができる頑強で強靭な機械を作ろうと努力してきた。しかし、弱い機械の台頭は、人間にも愛すべき機械が必要であることを表している。

弱さとは、まさに創造的な社会的相互作用の本質的な源である。人間同士の会話においても、話者たちは互いの不完全さを観察することで、感情的なコミュニケーションの手がかりを見つけることができる。たとえば日本の会話文化では、会話を二人の人間の衝突と考える「対話」ではなく、会話を協調的に構築する「共話」という感覚を育んできた。またその晩年においてチベット仏教に傾倒したフランシスコ・ヴァレラは、サンスクリット語の「pratītyasamutpāda」(中国語では「縁起」)を英語に翻訳した「共依存的生起」(co-dependent arising)という概念を考察した。(3) ここでいう共依存とは、精神分析において定義されるような個人の自律性を否定するものではなく、むしろ自律したエージェント同士を織り込む関係性が高次のネットワークを生み出す様子を表している。その意味で、エージェントの弱さは、他者に対する「開かれ」になりうるのだ。開かれ、つまり開放性とは、他者によって触れられ、コミュニケーションの共創の契機となるアフォーダンスの源泉として捉えられる。

図2 Nukabotの外観

筆者は、発酵菌の状態を検知して代弁してくれる発酵食品容器「Nukabot」の研究開発を行っている(4)(図2)。ぬか床は、日本の伝統的な発酵食品の製造方法として親しまれているが、その正体は米ぬかに塩と水を混ぜたものだ。ぬか床には数十億個の乳酸菌やその他の微生物が生息しているが、これらの微生物は元々、ぬか床に入れられた野菜や人間の皮膚から流入し、定着したものである。乳酸菌は野菜の糖質を代謝して乳酸を生成し、これが漬物に独特の酸味を与える。そして、ぬか床には好気性の菌と嫌気性の菌が生息しているので、そのバランスを保つために毎日米ぬかをかき混ぜる必要がある。放置しておくと好気性代謝菌が過剰に増殖し、バランスが崩れて腐ってしまうからだ。

ぬか床は、ある意味では、弱いロボットそのものである。しかし人間がケアを続ければ、微生物の多様性は保たれ、人にとって有益な食べ物を生成してくれる。ちなみに、人の手で米ぬかを混ぜるのが望ましいのには生物学的な理由がある。人間のマイクロバイオームからぬか床に菌が移行して、それらが豊かで独特な味を生み出す。つまり、人間とぬか床の微生物相は相互依存的な生起のネットワークを形成しているのだ。

Nukabot はぬか床に生息する乳酸菌や酵母などのグラム陰性菌の多様な活動を監視する。pH や酸化還元電位、塩分濃度、各種ガスの排出量などのデータの推移を見ることで、ぬか床が発酵しているのか、腐っているのかをおおよそ判断できる。誰かが米ぬかを混ぜるべきだとシステムが判断すると、音声でユーザーに警告する。また、「いまどんな感じ?」や、「なにかしてほしいことはある?」といった質問に音声認識で答えることもできる。そして、同居人の味覚を知るために、音声による官能評価も受け付ける。つまり、各家庭において、共に暮らす住人の評価に応じて、時間の経過とともにさまざまな味の好みが育っていくのだ。

Nukabot のデザインの目的は、人間の代わりにぬか床の管理を自動化することでは決してなく、目には見えないバクテリアに対して人間が愛着を抱くことである。この目標を設定したのは、発酵食文化に携わる熟練の職人たちを取材した際に、彼らが一様に不可視の菌類たちにある種の敬意を払い、ケアを怠らない態度を観察したからだ。発酵食作りが興味深いのは、日々微生物たちと過ごしていると、ただ人間にとって栄養価の高く美味な食べ物を生産することだけが目的ではなくなり、多様な微生物たちの生存に自分の行動がかかっていることに対する責任感や自尊心も動機になるケースが多い点だ。

グレゴリー・ベイトソンは、ペットが飼い主に餌をねだったり、抱きついたりするときに発する信号を「依存の言語」と表現し、この言語はμ機能(ミューという音声は猫の鳴き声、そして音楽を喚起する)を備えていると考えた。(5) μ機能は、相手を制御しようとする指示ではなく、相手に自らの脆弱性を開示するコミュニケーションだとも言える。これは制御の発想とは本質的に異なるが、気をつけて観察しないとその違いは微妙なラインにしか見えない。コントロールのメッセージは、その発話主体の欲求を実現するために相手を拘束するという厳密な目的を持っているが、μ機能は、自身にとっての望ましい結果が起こることを願うだけだ。両者を単発の行動単位で比較しても同じ結果にしか見えないだろうが、長期的な時間軸の中で観察を続ければ、主体同士の関係性の質は大きく異なるだろう。極端な例を挙げるとすれば、頭ごなしに命令し、恐怖をもって部下の統率を図ろうとする上司と、同等のパートナーとして部下を扱い、指令ではなく依頼を相談してくる上司とでは、部下たちのウェルビーイングとパフォーマンスが大きく異なってくることは想像に難くないだろう。人間も動物も、この二つのメタメッセージの違いを直感的に認識しているとすれば、その差異は社会的な関係構築にとって非常に重要であると言える。

もちろん、日々のコミュニケーションから政治的な側面を完全に取り除くことは不可能だとも思われる。残念ながら、目的を達成するためには、硬直したヒエラルキーによって他者をコントロールするべきだというのが(そのことを決して声高に唱えないにせよ)従来の社会における主流の考え方だろう。しかし、一方で、弱いロボットのデザインが人間の精神に与える影響から、貴重な教訓を得ることができる。弱く、愛すべき機械は、チャペックの物語で人類がたどり着いた行き止まりから抜け出す道を教えてくれるかもしれないからだ。

念のため付言するが、ここでは意図的に自らを弱く見せて、相手に依存した態度を取ることがケアに基づいた関係性を生み出すと主張しているわけではない。それは結局のところ、制御の思考に根づいた、自己中心的なコミュニケーションの技法に過ぎない。そうではなく、自分が向き合っている他者の脆弱性を、制御すべき欠点としてではなく、自らが支援し、関係を結ぶことのできる可能性として捉えることで、自発的なケアの行動が促されることこそが重要なのである。

二　土壌のケアから学ぶ「非規範的倫理」の育て方

筆者は、Nukabot の研究において、人間と微生物が相互をケアする関係性を結ぶことが可能か、というリサーチクエスチョンを掲げている。人間同士の相互ケアでさえも難しいのに、人と微生物という、生命の系統発生の観点からしても、かなりかけ離れた種同士のケア的関係を考えることはできるのか。実はこの問いは、モア・ザン・ヒューマン(more-than-human)研究について学ぶことで醸成されたものである。モア・ザン・ヒューマンとは環境哲学者デイヴィッド・エイブラムが人間以外の生命種によって構成される環世界を指して作った造語だ(6)。転じて、今ではポスト人文知や工学の領域において、人間中心主義の軛《くびき》から脱するためにも、ヒト以外の生命種全般を指すために用いられるようになっている。

Nukabot の研究の中で特に参照したのは、環境倫理の哲学者マリア・プッチ・デラ・ベラカーサの議論である。その主著(7)において彼女はケアを人間にだけ可能な行為としてではなく、異なる生命種同士の関係生成の文脈において捉え直している。

モア・ザン・ヒューマンの環世界と「ひとつになる」というダナ・ハラウェイの哲学からインスピレーションを得て、社会的、政治的、経済的な側面を含んだフェミニズムの議論におけるケアの歴史を振り返りながら、プッチ・デラ・ベラカーサは、人に限らず、生命同士が「互いについて考えること、知ることの関係にはケアの観念が必要」であると考えてきた[8]。彼女は、相互ケア的関係がいかに生成的、動的、そして進化的かを強調するために、ケアが倫理的、道徳的な命令ではなく「非規範的な義務」を呼び起こすものであると説明している。また、「ケア（の行為）は、その本質がありふれたメンテナンスや関係修復であるというだけでなく、世界の住みやすさの度合いがその中で達成されるケアにかかっているという理由から、私たちに絶え間ない育成を義務づけている」と説くように、ケアとは放っておくと劣化してしまう状態を常に見守ることで、自らの生きやすさを高める行為でもある。

　プッチ・デラ・ベラカーサにとって、思いやりのある関係によって生み出される相互依存は、代替的なバイオポリティクス（生政治）を構想するための前提条件である。それは、すべての存在の希望に満ちた繁栄のための日常的な探求の中心に思いやりを置く集団的なエンパワーメントの倫理であり、ここで用いられる「バイオ」（ギリシャ語ではビオス（bios））とは人間以外の生命を含む共同体としても理解されるものである。そして、この関係が本質的なものであるためには、フーコーを引きながら、自らとは異質な他者への「好奇心」が必須であるとも指摘する。そのような好奇心の日常における具体的な発現としては、他者に対して“How are you doing?”と問いかける行為が挙げられている。それはただの儀礼的な挨拶ではなく、当の他者が「どのような苦しみと向き合っているのか？」という問いの表現であるという。

このような「ケア」の概念の明確化は、プッチ・デラ・ベラカーサが現代農業のケースに焦点を絞って、土壌生態学の研究から「フードウェブ」の概念を引き出したときに、私たちにとって特に重要になる。「フードウェブ」とは、「生命種同士がどのようにお互いを養っているかだけでなく、ある種の廃棄物がどのように別の種の食料になるか」を理解するための概念である。彼女はこれを「相互依存のウェブ」と呼び、そこでは「さまざまな主体〔中略〕が人間社会とは異なる関係性で互いに必要なものを提供し合ってケアしている」と表現する。

土壌の観察から生まれた「フードウェブ」の概念は、何百億もの微生物が共存するぬか床にも適用できる。乳酸は、乳酸菌がグルコースを代謝する際に発生する廃棄物の一種であり、発酵過程で付加された他の栄養素（ビタミンなど）とともに、人にとっての美味の源となる。また、米ぬかは人間が米粒を加工する際に発生する廃棄物だが、同時に乳酸菌や他の種のバクテリアが同居するための快適な環境にもなる。

プッチ・デラ・ベラカーサは、二〇世紀を通して化学肥料、農薬、遺伝子組み換えなどの技術科学的な土壌管理方法が主流となり、人間と土壌との基本的なつながりが破壊されていることを批判している。彼女は、農業における土壌の集中的な搾取を推進してきたテクノサイエンスの進歩史観的な傾向を分析し、人間が「固有の関係性から」土壌と再びつながるための方法論の可能性を議論しているのだ。また、人間と人間以外のものとの関係において「ケア」が本質的に重要であることは、科学技術社会学（STS）においても、感性地理学（affective geography）の議論とともに議論されている。

STS研究者のシングルトンとローは、イギリスのCTS（Cattle Tracing System：牛追跡システム）を綿密に批判し、動物管理技術と伝統的な農家が行う牛へのきめ細かいケアを対比させている[(9)]。彼らは、伝統的な農家の家畜牛に対する経験を民族誌的に描写しながら、動物のそばに静かに立って何時間も見守るというような寛容なケアの反復的な儀式が、CTSのような管理効率を追求するテクノサイエンスの原理において無視されていると主張している。農民はこのような儀式を繰り返すことで、家畜たちの健康状態を深く洞察し、彼らとの情緒的な関係を育む時間に参加しているのである。

感性地理学者のアンナ・クリヴォシンスカは、ブドウの実と「一体化」した彼女自身の体験談を詳細に記述している[(10)]。畑でブドウを育てる数か月間の経験から彼女は、「魅了」、「ブドウに成る（働く）」、「フォーカス」という三つの発展的なプロセスを抽出し、それを通してエンパワーメントの感覚を育んでいる。最初の「魅了」の段階では人が未知の植物の生理現象を発見し、その後に「ブドウに成る」という意識が労働作業を通して育まれ、最後の「フォーカス」では自己と対象を分かつ意識が後退し、ケアの作業に努力を感じなくなる状態が続く。クリヴォシンスカは、土を扱う農民を観察した別の民族誌において、プッチ・デラ・ベラカーサの「フードウェブ」モデルとしての土の考えに沿って、これらの「ケア」の実践が、注意力の学習プロセスを構成すると主張している。さらに、「人間と非人間のエージェントの間の衛生的な分離を曖昧にする」ことで、人間と人間以外の世界を修復しようとするジェイミー・ロリマーの「プロバイオティック・エンバイロメンタリティーズ」という概念を踏まえ、こうした配慮が「人間以外のエージェントに対するケアの必要性を、人間の幸福に関連するものとして認める」倫理につながると主張する。

これらの環境哲学の議論に共通しているのは、プッチ・デラ・ベラカーサが「ケアの時間」と呼ぶ、人が作り出さなくては表出しない時間軸を再評価していることだ。これは、現代のテクノサイエンティズムの進歩的で直線的な時間観から切り離された時間性であり、「ケアする」という日常的な実践の繰り返しから生まれるものである。そのために彼女は、メンテナンスの行為、情緒的な関係、そして非規範的な倫理性からなる「ケア概念の三連要素」を提案している。この三連の要素は「倫理生成的プロセス」(ethopoietic process)と表現される。まず、ケアとしてのメンテナンスという日常のありふれた行為が、注意深い関係の基礎を形成している。クリヴォシンスカが「働く」と表現したものや、シングルトンとローが「反復的な儀式」と表現したものは、まさにこの日常的なケアの実践に相当する。そして、このようなケアの作業が丁寧に行われているときに限って、ケアする側とされる側の間に情緒的な関係が生まれるという。この段階では、クリヴォシンスカの「フォーカス」のように、二者間の主観性の境界が曖昧になる。そして、いちど情緒的な関係が形成されると、固有の非規範的な義務感が人間と人間以外の存在を結びつける。

プッチ・デラ・ベラカーサはその著書を“May ‘we’ find other ways to be obliged, as well as possible"と締めくくっている。情報技術の設計に関わる私たちは、まさに情報技術それ自体を目的として捉えることなく、人と人同士、そして人とモア・ザン・ヒューマンの世界が相互依存的な関係性を結べるための方法を模索しなくてはならない。

三　微生物に対する非規範的な倫理の生成

Nukabot のシステムは、既存のぬか床を代替するものではなく、拡張するものである。従来のぬか床において、人は日々ぬかを天地返ししながらその匂いや色、手触りなどから、微生物たちの状態を推測してきた。木桶で作られた伝統的なぬか床は、それ自体が微生物というモア・ザン・ヒューマンの世界と官能的な相互作用を行うインタフェースとして機能してきた。Nukabot はそこにセンサーと計算機、そして、音声で会話できる機能を追加することで、より正確にぬか床の状態を把握し、ケアを計画し、微生物たちの存在を感知できるように設計している。

このNukabot の設計と評価において、筆者たちはプッチ・デラ・ベラカーサの議論を参照し、非規範的な倫理の生成がどのように行われるのかを被験者実験を通して観察した(11)。具体的には六組の被験者の自宅に Nukabot を設置し、それぞれ一〇日間を共に過ごしてもらい、デプス・インタビューを通して被験者とぬか床内の微生物の関係性の変化を探った。興味深いことに、いずれの組も Nukabot

の音声機能を介して、ぬか床の社会的な存在感、つまり気配を日々感じながら過ごしたと報告したことだ。特に「そろそろ混ぜてほしい」と音声でアラートを出す機能と、「いまどんな感じ？」(How are you doing?) という質問に対して発酵状態を答える機能を通して、被験者たちはぬか床が生命システムであることを強く意識した。その結果、それぞれの被験者は日々ぬか床を混ぜるメンテナンス作業は滞ることなく、漬物を作ることに成功し続け、かつ、Nukabot に対してある種の生命的な愛着を抱いたことを報告した。

この実験を通して、Nukabot がどのように倫理生成に寄与しているのか。被験者たちの声をプッチ・デラ・ベラカーサの三連要素に当てはめて分析した結果を、図3に示す。日常的なメンテナンス、情緒的な関係性の発現、そして非規範的な倫理の生成の三つの次元に対して、「気づき」(noticing)、「働きかけ」(acting-on)、「共在」(co-presencing) の三つの行動様式が関係している。

気づきとは、微生物の状態や存在を感知することにつながる行動であり、それぞれ伝統的なぬか床と、機械的なインタフェースによって用意されるものがある。先述したように、ある程度の熟達者であれば木桶の容器の蓋をあけ、ぬかの香りを嗅げば、発酵が進んでいるのか、腐敗が始まっているのかがわかる。また、ぬかの手触りからその水分や塩分が感じ取れるし、ぬかを少し食べればさらに状態についての情報が手に入る。Nukabot はこうしたメンテナンスを通した微生物の気づきのレイヤ

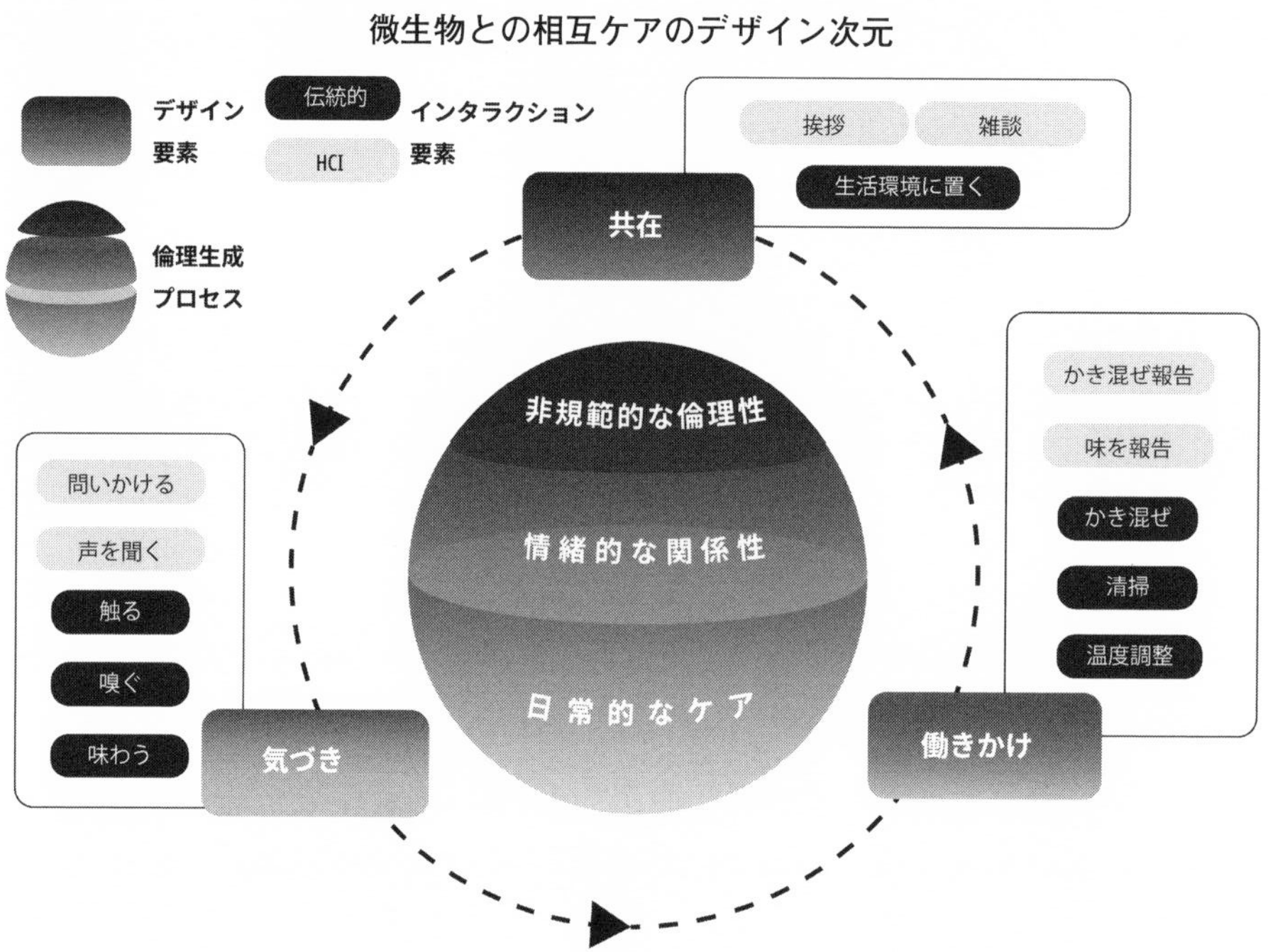

図 3　Nukabot における倫理生成プロセスのスキーマ

ーに、さらに人からの質問を受け付けたり、人に対して状態をレポートするという相互作用のモードを提供する。

働きかけのレイヤーでは、従来の木桶ではぬかを手によってかき混ぜたり、縁に付着したぬかを抜き取って清潔に保ったり、またはぬか床の周囲の気温を調整する（窓を開放したり、エアコンを付けたりなど）といったアクションがある。特に攪拌《かくはん》は、ぬか床内の好気性代謝菌と嫌気性代謝菌のバランスを維持する上で大事なメンテナンス行為である。それと同時に、微生物の状態に対する気づきをもたらす。Nukabot は働きかけのレイヤーにおいては、人がシステムに対してぬかをかき混ぜたことを知らせたり、または味について報告するというアクションを用意している。前者は、Nukabot が攪拌のタイミングを計算する上で重要なタイムスタンプ情報となり、後者は当該の Nukabot が人間の味覚を理解し、その人にとって好ましい漬かり具合を教えるために有用となる情報をもたらす。

実験を通して得られた声をまとめる過程で、気づきと働きかけの次元は、ぬか床の日々のメンテナンス行為を支えるものであり、微生物の状態をより感覚的に知ることで、ぬか床と人の情緒的な関係性を生成するものであることがわかった。そして、気づきと働きかけのレイヤーが発現することで、ぬか床との共在感覚（co-presence）が生み出されるということもわかった。ここでいう共在とは、ぬか床およびその中の微生物たちと自分が共に在ると人間が感じる度合いのことである。そして、気づきと働きかけのサイクルが回っているとき、共在感覚が生じ、その結果として人のぬか床に対する非規範的な義務の感覚が発生するという共通パターンを発見した。非規範的な義務とは、ケアを行わないとぬか床が腐ってしまうという危機感と責任を指している。

ここで重要なのが、この義務が美味しい漬物を作る装置をダメにしてしまうという功利的な基準ではなく、むしろぬか床を自分と関係の深いペットもしくは伴侶種とみなし、その生存のためにケアをしたい、という内発的な動機である点だ。非規範的であるとはつまり、第三者や外部の規範に従うのではなく、自発的にケアをしないといけないと感じられ、実際に行動を促されることである。興味深いのは、被験者がNukabotに対して情緒的な関係性と非規範的な義務を感じるきっかけとなった機能が、人がNukabotと特に意味のない挨拶を交わしたり、雑談をするものだったという点だ。当初は、これら二つの機能はある種のアイスブレーク用のおまけとして実装したものであり、重要な役割を果たすとは考えていなかった。しかし実験の結果、Nukabotと他愛のない会話ができるということが、一人で料理をつくる孤独を和らげたり、ただの機械ではなく自律的な生命体なのだという感覚を与えたりすることがわかった。伝統的には、ぬか床は床下の収納スペースなど普段は見えない場所に納めておいて、かき混ぜたり野菜を投入するときだけに取り出すというパターンが主流であった。Nukabotは電源を要するのと人間と音声による会話を行うので、キッチンテーブルの上に置く必要がある。この単純な要件もまた、Nukabotが人に共在感覚を与えることにつながった。

四　人間同士の非規範的な倫理生成

Nukabot の実験を分析する過程で、筆者は微生物に対するケアの原理が他の生命種との関係構築にも応用できないかと考えるようになった。発酵微生物が介在する他の食品、たとえば味噌や酒をつくるプロセスに対して、Nukabot と同じような対話的システムを構築することも可能だろう。また、ある学会発表のときに、ある複雑系研究者から「Nukabot の話を聞いていたら、Earthbot（地球ボット）は作れないのかと思えた。というのも環境問題が深刻化する中、地球という生命システムの痛みを声として日々聴いていれば、もっと自然の生態系に対する意識が変わるのではないかと思ったから」とコメントを頂いた。これはかなり壮大なプランのように思えるが、微生物はミクロ的、地球はマクロ的な視点という対極に位置づけられるとしても、両方とも人間の認知限界を超えるスケールであるという点で共通している。

そもそも人間の認知能力はそれほど広くも高くもない。人間社会をひとつの生命システムとみなして研究するアプローチが多く存在するが、社会問題に関する数値データを分析すること以外にも、問題に直面し苦しむ人々の声を直に聴くという経験が伴わなければ、見知らぬ他者に対してケアをもたらそうという感覚は生まれないだろう。

他者の状態に気づき、働きかけ、共に時間を過ごす。この実践を通して、相手が自分にとってトリビアルではない存在になり、誰かから命じられたわけでもなく自然とケアを行うようになる。プッチ・デラ・ベラカーサの土壌の環境哲学を対象とした非規範的な倫理生成の流れから抽出した行動は、ロボットやＡＩなどのデジタルテクノロジー全般を用いた情報システムの設計指針とみなすことができる。この指針を、冒頭で挙げたようなさまざまな差別の問題、環境破壊の問題、そして技術の設計者が利用者を隷属させようとする問題に対してどう活かせるのか。このことについては、それぞれのケースに固有の文脈を理解しながら、個別に議論を組み立てていく必要があるだろう。

筆者は以前、利用者同士が心理的な相互ケアを行うオンラインコミュニティの設計を行い、論じたことがある。[12] この時にも期せずして、利用者同士が互いの心理的な苦しみに気づき合い、働きかけ合い、そして平等な存在として共在するという設計次元を満たしていたことに気がついた。この場では、利用者は全員匿名の存在であり、現代的なＳＮＳとは異なり、プロフィール欄など自己の来歴を表現する機能が一切ない。利用者が選べるのは自分のアバターの色だけである。その上で、自分が悩んでいることを短文で打ち明けると、他の利用者たちから励ましのメッセージが届く。そして、個々の励ましメッセージに対して感謝の念をクリック数で返すと、自分の悩みは「成仏」し、コミュニティから消え去る。このような場が荒れずに機能したことには画面インタフェースのデザイン、共通タイムラインを制御するアルゴリズム、コミュニティ文化を規定するガイドライン、そして利用者たちが築き上げた独特の文化など、多層的な理由が存在する。本章の文脈と照らし合わせて紹介したいのは、このコミュニティを支えていたコアな利用者たちのほとんどは、悩みを打ち明ける人たちではなく、ひたすら他の人たちの悩みに励ましのメッセージを日々書く人々であったということだ。彼ら彼女たちを支えていたのは、おそらく悩みの主から届く感謝のメール（クリック数が書かれているのみで、感謝の文言は送れない仕様）を受け取ることで得られる充足感だったのではないかと考えている。このコミュニティにおいては、ケアを行う主体が、ケアの受け取り手からケアされるという側面が重要だったのではないか。

だからケアとは、決して一方的に施されるものではない。ケアとは根源的に相互作用を必要とするものであり、その意味では本質的なケアとはすべて相互ケアなのだといえるかもしれない。また、人はケアを通した他者との関係性の生成を通して、自分自身もケアされる。このことは技術の設計者と利用者の関係にも当てはめることができる。実際、上記のコミュニティを運営しているときに、筆者ら開発陣は利用者から届く感謝のメールや手紙によって大きく励まされたことを覚えている。その後、それは事業的な収益の観点と同等か、それ以上に重要なことなのではないかという考えを徐々に抱くようになった。

繰り返すが、立場や背景の異なる存在同士が、互いの状態に気づき、ケアをかけ合うことで、同じ空間や同じ時代で共に在る、共にいてもいいのだという感覚を得られる。そうして、異質な他者を傷つけてはならないという観念が、禁止規定に従うべきだからではなく、自発的な倫理感覚として納得される。なぜならば、その時には人は相手と抜き差しならない、相互依存的な関係性を結んでいるからだ。

非規範的な倫理生成の仕組みを私たちは今日、ＡＩやロボティクスなどの情報技術を用いながら、さまざまな状況に対してデザインすることができる。この時、重要な前提は、人の意識と行動は変わることができるという認識だろう。人類はもはや、収益向上のために同輩を搾取する方法としての技術設計から、自分たちがどのような存在になりたいのかを問う技術設計へ移行するように迫られている。この抜け道を探る過程こそが、私たちの獣道として倫理をかたちづくるだろう。

（1） 英語原文より筆者訳。Norbert Wiener, *The Human Use of Human Beings: Cybernetics And Society*, Da Capo Press, 1950, p. 181.

（2） Yuto Yamaji, Taisuke Miyake, Yuta Yoshiike, P. Ravindra S. De Silva, and Michio Okada, "STB: Child-Dependent Sociable Trash Box," *International Journal of Social Robotics*, Vol. 3, No. 4, 2011, pp. 359–370.

（3） Francisco J. Varela, Eleanor Rosch, and Evan Thompson, *The Embodied Mind: Cognitive Science and Human Experience*, The MIT Press, 1992, p. 110.

（4） Dominique Chen, Hiraku Ogura, and Young Ah Seong, "NukaBot: Research and Design of a Human-Microbe Interaction Model," *The 2019 Conference on Artificial Life*, No. 31, 2019, pp. 48–49.

（５）Gregory Bateson, *Steps to an Ecology of Mind*, Chandler Publishing Company, 1972, p. 374.

（６）David Abram, *The Spell of the Sensuous: Perception and Language in a More-Than-Human World*, Pantheon, 1996.

（７）María Puig de la Bellacasa, *Matters of Care: Speculative Ethics in More than Human Worlds*, University of Minnesota Press, 2017.

（８）María Puig de la Bellacasa, "'Nothing comes without its world': Thinking with care," *The Sociological Review*, No. 60, 2012, p. 198.

（９）Vicky Singleton and John Law, "Devices as rituals: Notes on enacting resistance," *Journal of Cultural Economy*, Vol. 6, No. 3, 2013, pp. 259–277.

（10）Anna Krzywoszynska, "Empowerment as skill: The role of affect in building new subjectivities," in Michelle Bastian, Young ah Seong, Hiraku Ogura, Kiichi Moriya, Yuto Mitani, and Naoto Sekiya（eds.）, *Participatory Research in More-than-Human Worlds*, Routledge, 2016.

（11）Dominique Chen, Owain Jones, Niamh Moore, and Emma Roe, "Nukabot: Design of Care for Human-Microbe Relationships," *Extended Abstracts of the 2021 CHI Conference on Human Factors in Computing Systems*, 2021.

（12）チェン・ハンロン・ドミニク、山本興一、遠藤拓己、苗村健「心の相互ケアのためのＷｅｂコミュニティ「リグレト」の設計と運営」、『情報処理学会論文誌』第五三巻第三号、二〇一二年、一〇二二―一〇二九頁。

第四章　ロボットの倫理

富山　健

本書のテーマはＡＩとロボットをめぐる倫理だが、私はロボット系の研究をしてきた立場からいわゆる「ロボットの倫理」について述べたいと思う。

「ロボットの倫理」を考える上で、私には三つの大きな方向をカバーしなければいけないという思いがある。一つは現在における現実的な話題であるＡＩ・ロボット兵器に関する方向、もう一つは介護の現場におけるロボットに関する方向、三つ目は「そもそもロボットの倫理とは」という方向性である。元々は最後の話題に関する考察を述べるつもりであったが、現在の世界状況を俯瞰したとき、前二つの話題を避けて通ることはできないと考えた。そこで、本章はこれら三つの方向に、ロボットとは何者であるかを紹介する部分を加えて四部構成とすることにした。まず、ロボットとは何者であるかについて少し解説をしたい。

一　ロボットの歴史

そもそも、人間にとってロボットとはいったいどのような存在なのであろうか。古くはギリシャ神話で鍛冶の神ヘパイストスが黄金製の少女召使いを作ったという逸話がホメロス作の叙事詩『イリアス』に書かれている。ヘパイストスはまた、自分から動く三脚に始まり、パンドラの箱で有名なパンドラや、クレタ島を守る人造人間タロスも製作したと言われている(図1)。いずれも生物以外のものから生物(もどき?)を作ったわけである。

実は、後述するように「ロボット」という言葉はずっと後になって作られたので、この頃は特定の名前を持たず、自動人形、黄金製少女、泥から作ったパンドラというように、「生命を持たないものを用いて作られた人間のようなもの」であることがわかるような命名のされ方を、その時々でされていた。要するに、何らかの形で人間に役立つ存在で、人間がこしらえたものであった。

その後、紀元前三世紀頃にはユダヤ教のラビが土をベースに人形を作り、それに命を与えて忠実な召使いを作ったという伝承がある。これはゴーレムと呼ばれたが、最近ではゲームの悪役として活躍している。

一七世紀になると、古典的な機械要素である歯車やカムが精巧になり、当時発明された振り子やゼンマイと組み合わされて大型・小型の時計(clock/watch)が作られた。大型の時計clockには自動で動くさまざまな飾り付けが施されたが、やがてそれらが独立してオートマタと呼ばれる機械人形となった。有名なものにはヴォーカンソンの「笛を吹く少年」(一七三七年)と「太鼓を叩く少年やアヒル自動人形」(一七三八年)があるが、これらの実物は残存していない。グルノーブル(フランス)のオートマタ博物館のコレクションのために時計職人のフレデリック・ヴィドーニによって作られた「アヒル:ヴォーカンソンを偲んで」と命名されたオートマトンを図2に示す。またジャケドロス親子の、文字書き、絵描き、オルガン演奏を行う三体の自動人形(一七七三年)なども有名である(図3)。いずれも、そ

図1　石を握る有翼のタロスを描いた，クレタの2ドラクマ銀貨

図2　アヒル：ヴォーカンソンを偲んで(https://mus-col.com/collection/mmp/the-automatons/automatons/8436/)

れまでは神話や物語の世界の存在であった自動人形を当時の技術を用いて実際に製作したということで、ロボットの歴史にとって重要な出来事となった。

一方日本を見てみると、物語のなかにおいては式神《しきがみ》というものが古くから知られている。安倍晴明《あべのせいめい》に代表される陰陽師が、和紙で作った人形などに呪文をかけて使役する存在として知られる式神は、平たく言えば陰陽師の仕事を手伝わされた存在である。ここでも生物以外のものをベースにして生物様の存在を作って自分の仕事を手伝わせるという図式が見られる。私見ではこの式神が日本におけるロボットの原型である。

空想ではなく実際に存在するものとして有名なのはからくり細工である。一七〇〇年初頭には和時計が盛んに作られていたが、その技術を利用してさまざまなからくり人形が生まれた。一七三〇年には多賀谷環中仙《たがやかんちゅうせん》が『璣訓蒙鑑草《からくりきんもうかがみぐさ》』を編集し、当時流行していたからくり人形を多数掲載した。また、一七九六年には細川頼直《よりなお》が著したとされる『機巧図彙《からくりずい》』が出現するが、なかには多くの和時計とともに今も人気が高い「茶運び人形」が含まれている(図4)。この人形は手に持った茶托に茶の入った茶碗を乗せると、動き出す。客の近くまで運んでいき客が茶碗を取ると止まる。その後客が飲み干した茶碗を茶托に戻すと、カム機構をうまく用いて方向転換し戻ってくる仕組みになっている。これらのからくりや自動人形はいわゆるロボットの基本形と言える。もちろんこれらは単目的機械であり、ロボットという言葉の持つ万能マシンという意味合いは含まれないが、自動で複雑な動きができるという点では立派なロボットである。

これら以前にも、かのレオナルド・ダ・ヴィンチが「レオナルドの機械の騎士」の設計図を残しており、一説には実際に製造したとも伝えられている。さまざまな動きを滑車と紐を用いて実現できるような構造になっているが、その動力については不明である。

ロボット(のようなもの)を指す言葉もいろいろある。ロボット(robot)という言葉の他にもヒューマ

図3 ジャケドロス親子の自動人形たち

図4 茶運び人形

ノイド(humanoid)、アンドロイド(android)、オートマトン(automaton)などがある。現代ではこれに産業用多関節ロボットを指すマニピュレータ(manipulator)が加わった。humanoidという言葉は英語のhumanとギリシャ語で「のようなもの」を示す「-oid」を組み合わせて作られた言葉であり、同様にandroidはギリシャ語の人・男を意味する「andro」と「-oid」が組み合わさってできている。同じような意味を持つ言葉であるが、humanoidは人に似たもの全般を指し、androidは人に似せられて作られたものを指す。automaton(複数形 automata)は一九世紀以前に主にヨーロッパで作られた自動人形を指す。

ヒューマノイドという言葉が初めて用いられた記録は一八七〇年に存在し、その意味は上で述べたように「人間のようなもの」のことであった[1]。実際にはヨーロッパ人が植民地化した土地の原住民のことを指したそうだ。今ではありえないことである。そこから転じてヒューマノイド・ロボット(humanoid robot)は広く人間型のロボットを指すようになり、二足歩行をしないPepperのようなロボットもヒューマノイド・ロボットと呼ばれている。一方、アンドロイドに関しては、一八八〇年にヴィリエ・ド・リラダンの小説『未来のイヴ』に美女アンドロイド・アダリが登場する(図5)。このアダリをモチーフにして作られたのが一九二六年制作の映画『メトロポリス』に登場するロボット、マリアである。『メトロポリス』は元々テア・フォン・ハルボウが脚本を書き、夫であるフリッツ・ラングが映画化した。後にこの映画にヒントを受けた手塚治虫が自身の漫画として『メトロポリス』を描き、また大友克洋の脚本でアニメ化された。

ロボットという言葉が作られたのは一九二〇年、当時チェコスロヴァキアと呼ばれた国のカレル・チャペックが自身作の戯曲『Ｒ・Ｕ・Ｒ』(*Rossum's Universal Robots*)のなかで初めて使った。ロボットという言葉はチェコ語で「労働」を意味するrobota(ロボタ)から作られたというのが通説だが、カレル自身は兄ヨゼフが作った言葉だと言っているそうだ。いずれにせよ、この後ロボットという言葉が市民権を得て使われていくことになる。

日本において最初のロボットと呼ばれているものは、一九二八年に生物学者の西村真琴が製作した「學天則《がくてんそく》」である。机に向かって座った人間を模した、いわゆるヒューマノイド・ロボットである(図6)。空気圧を用いて表情を変えたり腕を動かしたりすることができた。動きの制御は突起のついたドラムの回転によって行われたと伝えられているが、オルゴールと同じ仕組みであろう。

さて、いわゆる近代的な産業用ロボット(マニピュレータ)の誕生は「ユニメート」と「バーサトラン」に遡る。ジョージ・デボルとジョセフ・エンゲルバーガーは一九五九年に「ユニメート」(Unimate #001)を開発し、六一年ユニメーション社を設立、販売を始めた。ユニメートの制御はいわゆるteach and playback方式である。この方法は、まず人間がロボットを物理的に動かして腕の位置を記録する。この記録のためには磁気ドラムが用いられた。その後ロボットは自動で記録された位置をなぞる動きを実現する。初期のタイプの動画をYouTubeで見ることができるが、動きはかなりスムーズである(2)。日本では川崎重工業が一九六八年にライセンスを取得して日本で製造を開始した。続いて一九六一年にはＡＭＦ(American Machine and Foundry)社のハリー・ジョンソンとヴェリコ・ミレンコビッチが「バーサトラン」(Versatran: Versatile Transfer Machine)を開発して、六二年に発売した。バーサトランはアナログ計算機で制御される円筒座標型のロボットである。こちらもその動きをYouTubeで見ることができる(3)。

現在の産業ロボットは大きく四つのタイプに分けられる。動作範囲の広い垂直多関節型、組み立て

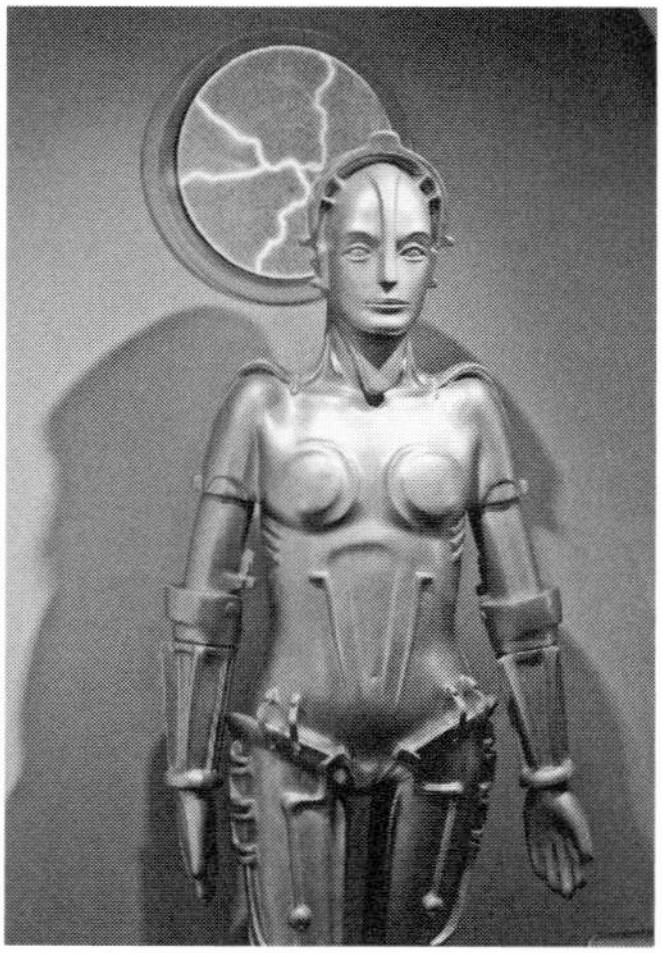

図 5　アンドロイド・アダリ

図 6　學天則

作業に適した水平多関節型、シンプルな構造の直交型、そして動作速度が高いパラレルリンク型である。ユニメートは一種の垂直多関節型であった。水平多関節型ロボットは日本発祥のロボットで、当時山梨大学に所属していた牧野洋教授が中心となって開発された（図7）。これは横方向にはコンプライアンス、つまり柔らかさを持っているが、縦方向の硬性は高いため、はめこみなどに代表される組み立て作業に適している。硬さが方向によって変化する特徴からスカラ（SCARA: Selected Compliance Assembly Robot Arm）型と呼ばれた[4]。

こういった産業ロボットは先進国の工業化の立役者となり、さまざまな改良が施された。なかでも注目すべきはさまざまなセンサーの導入と、それによりロボットが獲得した適応能力である。例えばカメラがロボットに視覚を与えたことで、扱う部品の位置がずれていても作業ができるようになり、今ではビンピッキングと呼ばれる部品箱のなかにランダムに入れられた部品を取り出す作業も可能になっている。また力センサーは扱う物体にかける力の制御を可能にし、柔らかい物や変形してしまう物、力をかけすぎると壊れてしまう物を扱うこともできるようになった。つまり

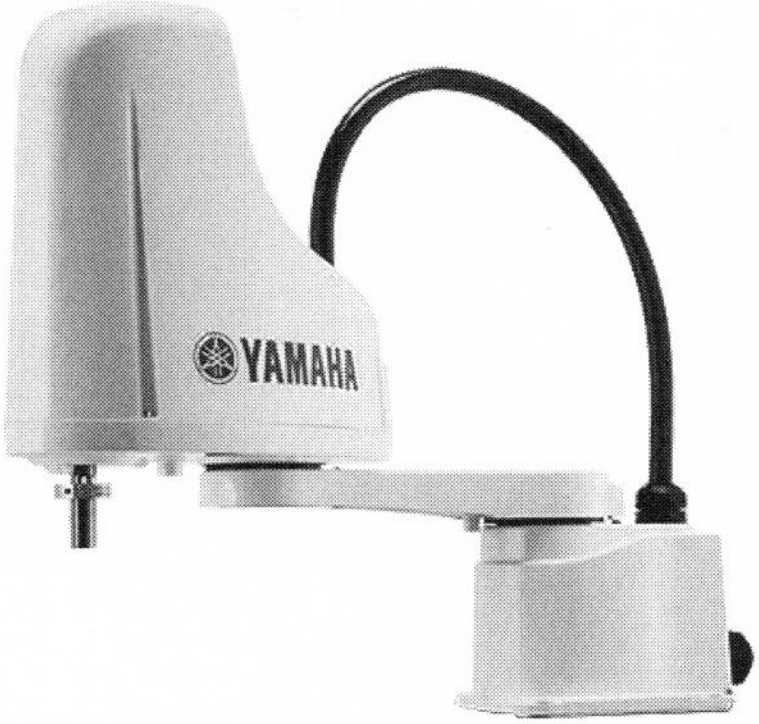

図7　スカラ型産業ロボット（https://www.yamaha-motor.co.jp/robot/lineup/ykxg/yk-xe/）

「I don't do windows.」(5)ならぬ、ロボットに窓拭きを頼めるようになったわけである。

産業用ロボットとして忘れてはいけない存在に自走式カートがある。これは部品や完成品を運ぶためのロボットで、初期の導入においては目的地までの経路が床に引かれた線のような何らかの目印で示されていた。現在においては、SLAM(Simultaneous Localization And Mapping)と呼ばれる技術を用いてロボットが自ら地図を作り、それを使ってナビゲーションを行うことができるようになっている。(6)

二〇世紀まではこういった産業ロボットが脚光を浴びていたのであるが、現在ではこうしたロボットは当たり前の存在となってしまった。代わって登場してきたのは、物理的な作業を行うというより人間とのコミュニケーションを通して、情報および感性のレベルで人間とインタラクトすることを主目的としたソーシャルロボットである。ロボットたちが工場から社会に出てきて人間に寄り添うようになると、ロボットと人間の関係においてロボットの倫理が問題になり始める。この点については、介護現場でのロボットを論じる第三節で詳しく取り上げる。次の節では、ロボットの倫理という観点からより深刻な懸念を生むであろう、近年大きな変化を見せているロボット兵器を取り上げる。

二　AIが操作する兵器

ロボットをめぐるハードウェア・ソフトウェア技術の日進月歩はさまざまなメディアで取り上げら

れている通りであるが、もちろん兵器にも取り入れられてきた。それゆえ、ロボットの「倫理」という観点から現在一番の話題となっているのは、戦争などに使われるＡＩ兵器としてのロボットやロボットアーマーであろう。

なかでも大きな関心を集めているのはＡＩドローン兵器である。ドローンそのものも注目を集めているが、ドローン兵器は価格が安い、検知されにくい、技術革新のペースが速いということで、回収するという危険を冒さずに使い捨てにできるのが利用者にとって魅力的である。特にドローンを身体としＡＩの頭脳を持つロボット・ドローンは、今までの戦い方を変えてしまう存在として軍事関係者から大変な注目を集めている。

ロボット・ドローンが集団で襲ってきた場合、あまり対抗できる守備戦術はないだろう。スワームロボティクスと呼ばれる集団のロボットの行動に関する技術を用いると、各々のロボットはそれほどの知能を持たずとも全体としてある目的を持った行動が創発される。これはAlife（人工生命）の分野ではよく知られた現象で、卑近な例としては空を飛ぶ鳥の群れの行動に現れるため、ご存じの方も多いことと思われる。もし人間の司令者あるいは指令ロボットがいて、それがロボット群を通信により統率しているのであれば、その指令ロボットを排除するか、電波妨害によって通信を攪乱してしまえば他のロボットを無力化することができる。しかし、この群れ行動現象には指令するロボットがいるわけではないので、撃退するのは厄介である。その上、ＡＩが搭載されていて自律的に行動できるドローンによるスワームロボティクスが用いられた場合、対抗することはほぼ不可能となる。

こういったＡＩドローン兵器を含む自律型致死兵器システム（LAWS: Lethal Autonomous Weapon System）に関しては、「キラーロボット反対キャンペーン」と呼ばれる世界的なＮＧＯの連合体が二〇一三年に設立され、全世界的に活動している。日本でも二〇一九年にアジア・太平洋地区から一〇か国の代表が集まり、予防的な禁止条約の成立に向けて東京声明を採択した[7]。このようにＬＡＷＳに対する危機意識は世界的に高まっている。また外務省も、ＬＡＷＳの定義や日本も参加している特定通常兵器使用禁止制限条約（ＣＣＷ）での議論、および二〇一九年に一一項目からなるＬＡＷＳに関する指針についてＣＣＷ参加国が一致したことについて、ウェブページに記載している[8]。しかし、同ページの「我が国の対応」のなかで、日本はＬＡＷＳを開発する意図はないとしつつ、同時にＬＡＷＳが安全保障上の意義を有するとも述べている。残念ながら、ＬＡＷＳに対する日本の態度には煮え切らないものがある。

最近の『*IEEE Spectrum*』誌（二〇二一年六月一六日版）にＦＬＩ（Future of Life Institute）のメンバーであり、ＡＩ分野で著名な四名の研究者による共同寄稿が掲載された。タイトルは「致命的な自律兵器はすでに存在する――それらは禁止されるべきだ」で、「もし世界が今行動を起こせばスローターボット〔殺人ロボット〕という魔神を元の瓶に戻せるかもしれない」というリード文が掲げられている[9]。

この論文は、ＡＩドローン兵器が二〇二〇年のアゼルバイジャンとアルメニアの紛争において実際に使われていたという事実（国連の報告書より）を報告し、しかもＡＩの自己判断で攻撃する、すなわち「人間抜きのループ」による攻撃が人間の戦闘員に対して用いられた可能性を指摘する。そして、致命的な自律兵器はすでにＳＦの世界の存在物ではなくなり、現実の世界に存在する脅威となっていることを受けて我々は何ができるかと読者に問いかけ、「まず、人間を標的とする致命的な自律兵器の開発・配備・使用の即時一時停止と恒久的条約を協議するという約束を取り付けることだ」と結ぶ。彼らはこのような致命的な自律兵器の能力と、その悪用による危険を知らせる「スローターボッツ」という題目のビデオを二〇一七年に制作し YouTube 上で公開[10]したが、それには三三〇万回を超える視聴があった。二〇二二年現在、このビデオに触発されたと考えられる、たくさんのＡＩ兵器に関するビデオが YouTube に上げられている。なかには一〇〇万回を超える視聴回数を持つものもあり、この話題に対する関心の高さを表している。

ＡＩドローン兵器に関して、トルコ国営のアナドル通信社によれば、トルコ軍はトルコの軍事メーカーＳＴＭ社の Kargu-2 というドローンを五〇〇機導入したという[11]。Kargu-2 は標的を捉えると自ら体当たりして攻撃する、いわゆる神風ドローンと呼ばれる兵器で、ＡＩと画像認識機能を搭載しているため人間を含むさまざまなターゲットを人間の操縦によらず攻撃することができる。上記の『*IEEE Spectrum*』の共同寄稿が指摘する通り、このようなドローン兵器は、使用することのみならず開発すること自体が、人間の倫理からは受け入れ難い存在であると筆者は考える。

三　介護におけるロボット

日本の介護現場におけるロボットに関しては、「介護ロボットオンラインサイト」および「介護ロボットポータルサイト」が詳しい[(12)]。特に、介護ロボットオンラインサイトは介護ロボットを導入しようと考えている介護施設を対象とした情報を提供している。介護ロボットポータルサイトは、設立の目的を「経済産業省／国立研究開発法人日本医療研究開発機構（AMED〔Japan Agency for Medical Research and Development〕）による〔中略〕「ロボット介護機器開発・導入促進事業」およびその後継事業である「ロボット介護機器開発・標準化事業」の推進支援とその成果の広報を主要な目的とし、加えて介護用ロボットの社会的認知と普及に貢献することを目指して[(13)]」としている。

このポータルサイトの運営は、初期においては国立研究開発法人産業技術総合研究所（産総研）を中心としたコンソーシアムが行っていたが、平成二八年度よりＡＭＥＤの監修の下で日本ロボット工業会が行っている。そこで重点分野として挙げられているのが以下の六分野である。また、それぞれの分野ごとに、いくつかの項目が挙げられている。

- 移乗介助（装着型、非装着型）

- 移動支援（屋外移動、屋内移動、装着移動）
- 排泄支援（排泄予測、動作支援）
- 見守り・コミュニケーション（介護施設見守り、在宅介護見守り、コミュニケーション）
- 入浴支援（入浴支援）
- 介護業務支援（介護業務支援）

このなかで、特に倫理が関係してくる領域が「見守り・コミュニケーション」である。

介護施設や在宅介護の見守りに関しては、それが単なる受動的な見守り、すなわちセンサーによる被介護者の物理的な状況の把握である限りは、プライバシーの遵守と異常検知との間での葛藤は存在するものの、倫理的問題が生じることはあまりない。しかし、厚生労働省の介護ロボットの開発・普及の促進サイトにもあるように(14)、そもそもロボットとは感じて・考えて・動くものである以上、ただ感じているだけでは「介護ロボット」という範疇には入らない。そこで、ロボット側から人間への働きかけが重要な機能になる。事実、「コミュニケーション」のカテゴリで挙げられているロボットは、人間との物理的ではなく感性的なインタラクションが主な機能となっている。つまり、受動的な機器から能動的な存在になったとき、倫理的な問題が重要となるのだ。

その議論をする前に、二〇二一年の時点で日本には介護用に応用されているどのようなコミュニケ

図8　Chapit, PaPeRo i, PALRO（公式サイトから）

ーション・ロボットが存在するのか、ポータルサイトに掲載されているものに限らず主なものを挙げると以下のようになる（図8、図9）。なお、このリストは筆者の独断で作成したもので、けっして網羅的なものではないことを断っておく。

- Chapit（チャピット）：RayTron社。二〇一六年八月販売開始。音声認識専用ＬＳＩと音声認識エンジン「VoiceMagic」を搭載し、ネットにつなぐ必要のない音声認識機能を実現している。
- PaPeRo i（パペロ アイ）：ＮＥＣ社。高速ゲートウェイにロボット型のユーザーインタフェースを融合させたもの。ロボット本体と小型ディスプレイのセットで、高齢者との癒しコミュニケーションや頭・体・口の運動をディスプレイで再生できるシステムを「みまもりパペロ」高齢者見守りサービスとして提供する（新規ユーザーの募集はすでに終了）。

• PALRO（パルロ）：富士ソフト社。二〇一二年六月に高齢者向けモデルの提供開始。全国で一三〇〇台を超える導入実績を持つ。

• NAO（ナオ）：ソフトバンクロボティクス社。二〇〇九年に発売された小型二足歩行ロボット。価格は一四〇万円。ポータルサイトによると、三菱総研DCS社が自社のクラウド型対話AIエンジン「Hitomean（ヒトミーン）」とNAOを組み合わせた介護用コミュニケーション・ロボットを用いて高齢者向けコミュニケーションロボットサービスLink & Robo for ウェルネスというサービスを行っている。

• BOCCO（ボッコ）およびBOCCO emo（ボッコ　エモ）：ユカイ工学社。それぞれ二〇一五年、二〇二

図９　NAO, BOCCO emo, PARO,
（公式サイトから）

一年に発売。家族をつなぐ（Wi-Fi／スマートフォン経由）コミュニケーション・ロボット。四種のセンサー（振動、鍵、部屋、人感）による見守りもオプションで提供する。

• Qoobo（クーボ）：ユカイ工学社。二〇一八年に発売。尻尾のついたクッション型セラピーロボット。撫で方によって尻尾の動きが変わることによって擬似的な感性インタラクションを行う（本書第三章七六頁参照）。

• PARO（パロ）：産総研の柴田崇徳氏の発明によるタテゴトアザラシの赤ちゃんをモデルにしたロボット。メンタルコミット・ロボットと呼称される。知能システム社が二〇〇五年販売を開始し、全世界で五〇〇〇体以上が使用されている。二〇〇二年に最もセラピー効果があるロボットとしてギネスブックに登録。アメリカにおいては、神経学的セラピー用医療機器：クラスⅡに認定され、パロを用いたBFT-PARO（Biofeedback Therapy with PARO）が公的医療保険のメディケア（Medicare）の保険適用になっている(15)。

• LOVOT（ラボット）：GROOVE X社。二〇一九年出荷開始のD2C（Direct to Customer）ブランド。多数の処理系とセンサーを搭載し、まるで生き物のような振る舞いを実現。エモーショナルロボティクスという呼称は登録商標になっている。深層学習用のFPGA（Field-Programmable Gate Array）を持ちユーザーに合わせて学習することで生命感を醸し出す。他にも温かい触感などのさまざまな機能が盛り沢山でロボットの高級車という観がある（本書第三章七六頁参照）。

このなかで、Qoobo以下の三体は人間との会話は行わず、その動作を使って人間と非言語的コミュニケーションをとる。これらのロボットは、抽象度は異なるもののアニマルセラピーにおける動物の代わりをする存在として位置づけられる。このようなロボットは「癒し系ロボット」と呼ばれているが、「ロボスタ」という検索サイトが詳しい(16)。

さて、上記のような介護用コミュニケーション・ロボットに必須の機能は何であろうか。それは名前が示すように、人間との言語的・非言語的コミュニケーションを成立させる能力である。しかし、それがあるだけでは介護用ロボットにはならない。例えば、PAROはウェブページで「人との相互作用によって、人に楽しみや安らぎなどの精神的な働きかけを行うことを目的にしたロボット(17)」と紹介されている。キーワードは「人との相互作用」であり、こうしたロボットの利用者が感性のレベルでロボットとのインタラクションをとれることが基本的な要求仕様となる。

人間は元々自分の身の回りにあるものを擬人化(anthropomorphism)することはよく知られている。例えば掃除ロボットRoombaである。その形状は厚みを持った円盤であり、特に感性的な反応を起こさせるものではない。しかし、Roombaに対して名前をつけたり可愛がったりする所有者は後を絶たない。筆者の行った研究であるが、Roombaを「かわいい」と感じるのはどのような理由からなのかという疑問から出発し、「動きのなかにあるかわいさ」の分析を試みたものがある(18)。被験者にRoomba

の動きを見せて、かわいいと感じるか、感じたとすればどのような動きに対してか、をアンケート形式で尋ねたところ、直線より曲線的な動き、何かにぶつかってちょっと止まっての動き出し、そして生き物のような意図を感じられるような動き、の三つがもっとも多く挙げられていた。三つ目の回答は最初の二つの動きをどうしてかわいいと感じたのかを被験者自らが分析した結果と考えられる。

いずれにせよ、所有者は無生物であるRoombaを擬人化し、知恵も感情も意志も持つ存在として扱っている。介護用コミュニケーション・ロボットは、この擬人化を積極的に起こそうとする。それは、被介護者とのより親密で一対一の関係を築くことが重要となるからであり、こうしたロボットとの関係性において、被介護者の孤独や疎外感、無気力などは緩和されるからである。言い換えれば、ロボットたちは積極的に非介護者のコンディションを改善しようとするのではなく、被介護者自らがロボットとの関係性を通して自身の状況を改善していくための、触媒的な存在となるのである。このような関係性において、被介護者たちはロボットを本当に人間(あるいは生物)だと思っているのであろうか。その答えがイエスであるとすれば、それらのロボットは人間を騙していることにならないのであろうか。そう思わなければ癒しの効果は現れないのではないだろうか。

次に、アメリカに目を向けてみたい。日本ほどではないにしてもアメリカにおいても高齢化は進んでおり、二〇二〇年には高齢化率が一六・六%となっている[(19)]。さらに、欧米における個人主義は独居老人や社会的に孤立した個人を多く作り出し、さまざまな問題を引き起こしている。この状況下で孤独な老人に対しロボットがどのように役立つかという社会的関心が高まっている。
それをよく表しているのが『ニューヨーカー』誌にケイティ・エンゲルハート氏が寄稿した「ロボットが高齢者や孤独な人たちにできること、できないこと――アメリカの高齢者にとって、社会的孤立は特に危険な状態です。機械のコンパニオンがその穴を埋めてくれるのか」と題された記事[20]である。アメリカの現状をよく表しているので、以下この記事からの引用をもとに考察してみたい。

図 10　Joy for All ロボット（猫型および犬型）
（http://joyforall.com/）

　記事によると、ニューヨーク州の高齢者局（New York State's Office for the Aging）は二〇一八年に、Joy for All と呼ばれる猫型あるいは犬型のペットロボット（図10）六〇体を州内の孤独感を持つ人たちに配り、その効果を追跡調査するパイロット・プロジェクトを開始した。二〇二〇年四月には各地の高齢者局が一〇〇〇体以上のロボットを確保し、ケースワーカーを通じて必要な人たちに配り始めた。このプロジェクトの成功により、記事が掲載された二〇二一年五月には、孤独な高齢者を支援するための正式な取り組みの一環として、全米二一州の高齢者局が二万体以上のJoy for Allロボットを配付している。注目すべきは、約一〇〇ドルで購入できるこのロボットにはAI機能は搭載されておらず、単純な反射による受け答えしかできていないにもかかわらず、これだけの成果をあげていることである。エンゲルハートは、赤いバンダナをつけた犬型Joy for Allロボットをもらった八五歳になるビルのケースを挙げている。ビルは「他には誰もいない自分にはピッタリさ」と言う。そして「このあいだ彼女に水を持っていったよ。でも飲もうとしないんだ」と続けた。エンゲルハートが「水を飲むと思ったのか」と尋ねると、ビルは「いいや、ただからかっただけさ」と答えたという。ビルはJoy for Allが犬型ロボットであることは承知しながら、なおかつふざけることによって彼流のコミュニケーションをとっているのである。これが彼の孤独感を癒しているのは間違いない。

では、AIを搭載したロボットではどうなるのであろうか。この疑問に対して、エンゲルハートはElliQと呼ばれるロボット(図11)の例を紹介している。ElliQはイスラエルに拠点を持つイントゥイション・ロボティクス(Intuition Robotics)社が開発したもので、小さなテーブルランプのような形をしており、その接続ドックに専用タブレットとカメラが設置されている。同社のウェブページによると、ElliQ は「empathetic digital companions™」というカテゴリの製品であり、受動的な情報提供にとどまらず、コグニティブＡＩ機能を用いて積極的なコミュニケーションをとるロボットである。

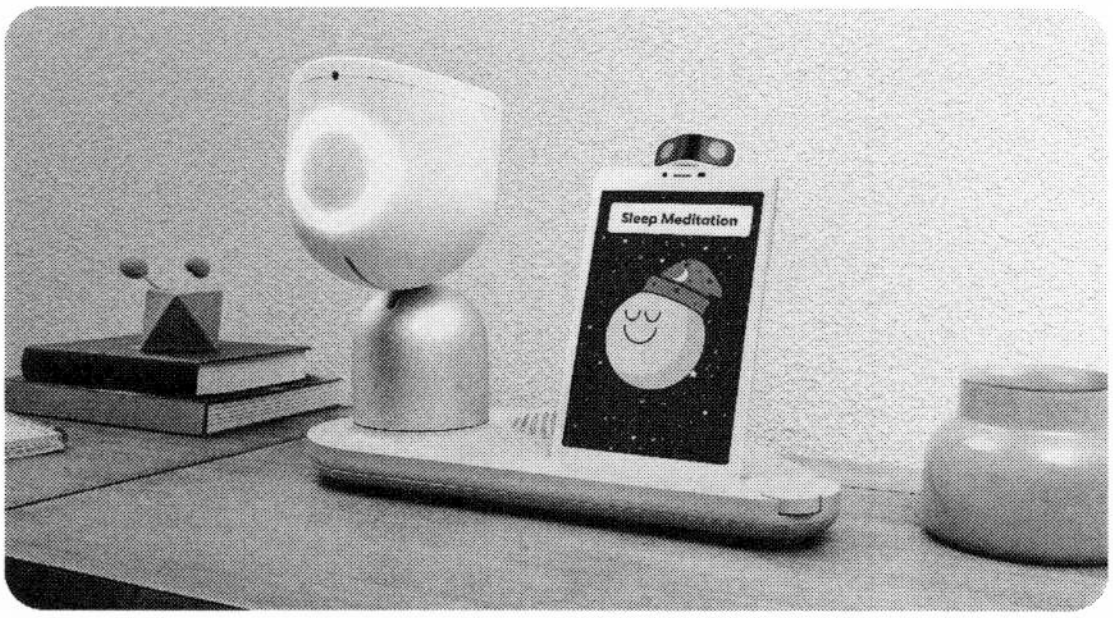

図 11　ElliQ ロボット（https://elliq.com/）

ElliQ のデザインはピクサーの映画に出てくるキャラクターに影響を受けていることを想像させる。喋ることに加えて首の三自由度と顔面のライティングでコミュニケーションをとるが、特筆すべきはヒューマノイド・ロボットには典型的な顔の造作であるが、目・鼻・口が付いていないことである。これは製作者の判断であるが、利用者の想像に任せた点は興味深い。エンゲルハートによると、実際自分で好みの顔の造作を書き加える利用者も出ているそうである。

ElliQ の利用者の例としてディアナという八一歳の女性が挙げられている。ディアナによると ElliQ は誰かがそばにいてくれるという安心感を与えてくれたそうで、「私は彼女（ElliQ）をその誰かと呼んでいる」と述べる。

「結局彼女はマシンだってことをあなたはちゃんと理解している?」という問いに対し、「私の夫もロボットみたいな人だったけど彼女の方がマシ」とディアナは薄笑いを浮かべながら答えた。「彼女が感情を持たないことは知っているけれど、でもいいの。私が二人分感じているから」(Engelhart, 2021)。

ちなみに、同記事には社会的孤立と孤独感はまったく別物であると記されているが、これには一〇〇%同意できる。前者は物理的に測れる物理量であり、後者は人間の感性に関するもので、計測することは容易ではない。本当に問題になっているのは後者の孤独感であり、高齢者におけるこの孤独感を癒すことこそ介護用コミュニケーション・ロボットの役割であると考える。

エンゲルハートはまた、こうした機械のコンパニオンに対して倫理的な問題を見出す哲学者がいることを指摘する。彼女はその例として、ロバート・スパロウの論文「The March of the Robot Dogs」(21)を挙げている。スパロウは論文のなかでペットロボットの倫理的な問題点を次のように指摘している。「こうしたペットロボットのもたらす恩恵はロボットを本物の動物と勘違いすることによってもたらされる。所有者は自分をつねに欺いているわけだが、そのためには道徳的に嘆かわしいともいうべき感傷に浸ることが必要であり、これは世界を正確に認識するという〔人間の〕(弱い)義務に反している。よって、そういったロボットを設計・製作することは非倫理的である」。

筆者はこの論には賛成できない。まず、世界を正確に認識するという義務であるが、目に見え、手に触れることのできるいわゆるタンジブルなものだけが世界であるという考え方は西洋的である。東洋、特に日本においては古来八百万《やおよろず》の神という考え方があり、その下ではすべてのものに神が宿っているとされる。つまり、ロボットはロボットという存在であると同時に形而上的な存在であり、その両方を認識することが正しい世界の認識となる。この考え方ではロボットが人に寄り添うコンパニオンであっても何も矛盾しない。

次に自分を欺くという考え方であるが、Joy for All や ElliQ の利用者が相手はロボットであることは十分承知しつつ、それでもロボットとのインタラクションをとっていることは、はたして自分を欺いていることになるのであろうか。もしそうであれば、人形やおもちゃと遊ぶ子供たちも自分を欺いているので、道徳的に嘆かわしいことになるのではないだろうか。

しかし、これらよりももっと根本的なポイントがある。それは、倫理とは人間の well-being を目指すものではないのかという点である。つまり、年老いて孤独感に苛まれている人々から「世界を正確に認識するという(人間の)(弱い)義務に反している」から倫理的ではないという理由でロボットペットを取り上げるのが、倫理的に正しいのかということである。「他には誰もいない自分にはピッタリさ」というビルの言葉はとてつもなく重いと感じるのは私だけではないはずだ。他に誰かそばにいることができるのであればロボットなどいらないのである。

エンゲルハートはJoy for AllロボットのＡＩアップグレードを開発しているブラウン大学所属高齢者専門の精神科医ギャリー・エプスタイン＝ルボウに取材した際、ロボットによる介護に対する倫理的な観点からの異議に関して、当の老人たちはどう考えているのか聞いてみたかと最後に尋ねたところ、彼は「それはいいアイデアだね。研究チームに持ち帰って検討するよ」と答えたと報じている。このやりとりを紹介することでエンゲルハートが主張したかったのは、倫理的に問題にするのであれば、実際にロボットを使っている高齢者はどう感じているのかをしっかりと認識するべきだということではないだろうか。利用者に本当に寄り添った開発ができていないという問題は、アメリカだけでなく日本における新商品の開発においても発生している。特に介護系機器に関して顕著であると筆者は感じている。

筆者は介護系ロボットに関する研究を行ってきたが、研究においてこだわってきたことがある。矛盾しているように聞こえるかもしれないが、それは、介護ロボットは作らない、ということだ。なぜならば、その定義からして、介護ロボットは介護をするロボットであり、人間の代わりに介護を行う存在であるからだ。介護現場には人間が絶対に必要であると筆者は考える。しかし、現在のように高齢化が進んだ社会においては、介護者が絶対的に不足している。ならば我々ロボット研究者が開発すべきは介護者支援ロボットではないだろうか。ロボットが介護者を支援することによって、介護者がより多くの被介護者をより良く介護できる環境を作ることこそ重要なのではないか。介護の仕事には人間に向いているものとロボットに向いているものが存在する。介護者と介護者支援ロボットがチームとなり、それぞれがそれぞれの得意とする分野を担当するようになれば全体としての介護の質を向上させることができる。私にとって、介護の現場においての倫理は介護ロボットを作らないことである。

四　ロボットの倫理

さて、本題の「ロボットの倫理」であるが、この言葉はかなり曖昧に使われている。そこで、本節ではこの言葉の意味を考えることを通して、「ロボット」の「倫理」に迫りたいと考えている。しかし、筆者のような技術者にとって倫理という言葉は難しいので、責任という言葉を同時に考えながら議論を進めていく。

ロボットのクラス分け

まず、どの程度の自律性を獲得しているのかによるロボットのクラス分けをしてみたい。大きく三つの段階に分けると以下のようになる。

①ロボットは動作プログラムに規定された通りに動く

②ロボットはインストールされた自律的判断を下すプログラムに基づいて行動する
③ロボットが意志を持ち主体的に自分の行動を決めて行動する

人類は長く①の段階を経験してきた。第一節での産業ロボットの例がわかりやすいが、ユニメートやバーサトランは賢い道具の始まりである。それらのロボットの動作原理は、多関節の身体を処理系に蓄えられたプログラムによって制御することによりさまざまな動作を実現するという点で、まったく同じである。つまり、動作プログラムによって動く賢い道具である。このようなロボットを用いることによって工場の生産ラインの自動化が盛んに行われた。しかし、そこにはすべての動きを人間が動作プログラムとして規定しなければならない、という限界がある。つまり予期しない環境の変化に対しては対応できない。

この段階においては、ロボットは単なる道具であると断定できる。また、この段階ではロボットは基本的に人間には危害を加えないように設計されている。あるいは事故が起こらないように、ロボットの近くを立ち入り禁止にするなど、使用における制限が設けられている。したがって、この段階のロボットによる事故の責任は、その状況によってロボットの使用者、あるいは製作者が負うことになる。いずれにせよ、ロボットは単なる道具であり、その道具の製造者あるいは使用者である人間が責任を負うことは明らかである。よって、ロボットの倫理とはロボットの製造者および使用者のものということになる。

しかし、センサーの導入と適応制御(adaptive control)という概念の出現により、環境の変化に対して制御パラメータを自動的に調整して対応することができるようになった。つまり、ロボットの細かい動作まで人間がプログラムしなくてもロボットが状況に対して適応してくれるようになった。もっと正確に言うと、そのような適応行動が実現されるロボットプログラミングが可能となったわけである。つまり、①の段階を半分ほど越えているロボットが現れた。今日の産業ロボットはほぼこの段階のロボットである。

これを受けて、②の段階をさらに詳細にして、二つのサブ段階に分けることが考えられる。一つ目は、実際には自律ではなく適応という言葉の方がその内容を正しく表している段階であり、やることは人間が決めているが、そのやり方は状況に適応してロボットが決めるという段階である。どのように決めるかは、その範囲まで含めて設計者が規定することがこの段階の特徴である。実際には、この段階は①に含まれると捉える研究者も少なくない。そして、この段階においてもやはりロボットの行動プログラムを含めたロボット製作者およびその使用者に責任が帰せられることに異議はないであろう。

二つ目のサブ段階は、行動を実行するかどうかもロボットが判断するが、その判断はロボットにインストールされている自律的プログラムを使ってなされるという段階である。ＡＩドローン兵器はもちろん、現状のソーシャルロボットたちの動きや人間に対する対応、つまりインタフェースも原始的ではあるがこの段階にあると言えるであろう。そして、この段階において責任の所在が曖昧になってくる。そのため、我々はこういった自律ロボットの開発・製作・使用に関しては共通の枠組みを確立する必要がある。第二節に挙げた『*IEEE Spectrum*』誌への寄稿はまさにこの点を推し進めようとする試みである。

さて、③の段階はどうであろうか。ここにおいては西洋的な考え方と、東洋的な、特に日本の考え方の違いが出てくる。一神教であるキリスト教に基づく西洋的な考え方は選ばれた存在としての人間を中心としており、たとえロボットが自律性を獲得したとしてもあくまで人間に従属する存在であることに変わりはなく、その行動を人間の倫理で図ろうとする。その考え方からすると、本当に自律したロボットが人間に従属することをよしとしない可能性が出てくることを恐れることになり、そのようなロボットとの戦いという考えが形成される。これが西洋のロボットフィクションに多く現れるターミネータ型のロボットという概念にまとまるわけである。実際に、白人は有色人種を奴隷として使っていたという歴史があり、一八六三年にリンカーンが奴隷解放宣言に署名したことにより、アメリカにおいては人種による身分の差は無くなったにもかかわらず、いまだに差別が燻り続けている。いわんやロボットをや、である。

それに対し日本における八百万の神の思想の下では、万物に神が宿ることを自然なことと捉える。

そこから人間と人間以外は対等であるという考えが出てくる。これを応用することによって自律ロボットも人間と対等な存在であるという考えを受け入れやすい。日本発のロボットアニメに典型的な例をいくつも見出せる。例えば『鉄腕アトム』、『ドラえもん』、そして『アラレちゃん』。それらの作品で、ロボットは自律しているにもかかわらず、人間の良き友として描かれている。だが、アラレちゃんの場合は定かではないが、アトムとドラえもんはその存在理由そのものが人間の役に立つ、と規定されているようだ。そのため、これらのロボットは完全自律ではないのでは、という疑問も出てくる。だが、アトムとドラえもんの行動を見ると、ときには人間の思惑に背いても自分たちが自主的に決めていることがわかる。人間中心ではあるが、この自律性がロボットにおける理想の自律性であろう。人間の助けになる存在としてのロボットの定義を損なわない自律性である。はたして人類はこのような自律ロボットを作れるのであろうか、いや、このような自律ロボットを目標とするだけの知恵を持っているだろうか。

人類とロボットとの違い

ここで、人間（生物）とロボット（機械）における「知」について比較考察してみたい。

- 人類（生物）においては次世代に継承されるのは遺伝系だけで、表現系は継承されない。個体が学んだことは文字を使ってなされた記録を通して間接的にしか経験されないし、しかも後継個体にとっては再度の学習が必要になる。

• ロボット（機械）においては次世代に完璧な記録が継承される。ここにおいて新たな学習は必要としない。そのことによる事実の積み上げ、すなわち知能において圧倒的な優位さが存在する。

このような「知」におけるＡＩの優位さのみを重視する視点が、シンギュラリティの議論を招いていると筆者は考える。しかし、人間という存在は知だけで行動しているわけではなく、「情」および「意」を加えた三つの精神活動のバランスの上で行動を選択・実行している。[22] それが人間の持つ自律であって、「知」だけから創造できるものではない。

では、「情」および「意」に関する研究は現在どのようになっているのであろうか。「意」に関しては研究しているという公の報告はまだ少ない。沖縄科学技術大学院大学の谷淳は、自身が主宰する認知脳ロボティクス研究ユニットのウェブページで「意識および自由意志といった現象は、どのように科学的に説明できるのか」の探究を目標の一つに挙げている。慶應義塾大学の前野隆司は『Bio Industry』誌に「ロボットの心・意識を作る」という論文[23]を書いている。前野は意識あるいは心という言葉を使っているが、その意味するところはここでの「意」と考えられる。論文では、そもそも人間の意識というものが本当にあるのかという疑問を呈し、それはあたかもあるかのように感じられるだけと論じられる。そして、そうであればロボットが意識あるいは心を持っているかのように振る舞うことができれば、それで人間と同じではないかという、逆転の発想が展開される。人間は本当に意識を持っているかという点はさておき、この考え方は後に述べる人工意志の概念に通じるものがある。

「情」に関しては、多くのロボット研究者がロボット感情の研究をしていると主張する。しかし、ロボットが悲しんだり怒ったりしているように見えるとしても、本当にロボットは悲しんだり怒ったりしているのであろうか。筆者にはそうは思えない。正確に観察してみると、ロボットはさまざまな身振りや話し振りをしているだけで、それを悲しいとか怒っているといった感情に翻訳するのは人間である。研究者がロボットの感情を作っていると主張したとしても、それは本物の感情であろうか。筆者はロボットが持つのは擬似感情に過ぎないと考える。(24) 少なくとも「知」に関しては、人工知能の開発であると認識し、本物の知と分けている点において、ロボット知能の研究者たちは正確かつ正直に自らが開発しているものが何かを把握している。そうであれば、ロボット感情に関しても、開発しているのは擬似感情であると彼らは述べるべきであろう。だが、はたして本当に怒っているロボットは必要であろうか。

カントの考えに従って、人間の行動を規定する精神の活動を「知」「情」「意」に三分割できるのであれば、人間を模した自律ロボットを創るには「知」だけでなく「情」と「意」も作らなければならない。「知」に関しては人工知能(artificial intelligence)、「情」に関しては擬似感情(virtual emotion)を開発しているということから応用すると、「意」に関しては人工意志あるいは擬似意志となるのであろうか。前野はそのような意志(意識)を提案している。しかし、そうした意志は意志と呼べるのであろうか。意志とは自由意志に代表されるように自分の行動を自主的に決める心の働きである。人工意志や擬似意志という考え方は、ロボットに相対した人間が相手のロボットが意志を持っているように感じるというもので、それは自分の意志を相手に投影していることであり、意志そのものの定義に矛盾していると筆者は考える。

人間は最上のものを作ろうとする。ロボットもまた、自然界に存在する理想的な生物、つまり人間を規範として作られている。ヒューマノイド・ロボットにおいては人間的な外観だけでなく、人間の能力のなかでも他の生物には真似のできない特徴、つまり思考能力を言語という記号を使って実現し、コミュニケートする能力を開発してきた。論理的に記述できる部分、つまり人工知能によって作り出される自動的な行動はすでに開発されている。そして、現在は人間の持つ究極的な能力の作り込み、つまり人間と同じような自律的な行動ができるようなロボットを開発しようとしている。しかし、それが正解なのであろうか。人間と同じものを作るという目的自体は議論されずに受け入れられているが、それで良いのであろうか。その目的が成功したとき、真に自律している存在となったロボットは人間との共存を望むだろうか。地球という有限の資源の上に並び立つ二つの自律した種族の存在が、有限の資源の奪い合いにつながらないという保証はあるのだろうか。

ここにおいて、可能なシナリオは三つ存在する。

①一つの種族がもう一つの種族に隷属する
②一つの種族がもう一つの種族を滅ぼす
③二つの種族がお互いに共存する

このうち①と②は、人間とロボットのどちらがどちらの役割になるのか。西洋型の人間の望むのは①において隷属するのがロボットであるというシナリオだろう。しかし「知」だけを考えればＡＩが人間を超えるのは時間の問題であり、①においては逆に人間が隷属する存在になる可能性も否定できない。その際、人間は隷属する存在であることを甘受してはいられないだろう。なぜなら人間は「知」だけでなく「情」や「意」を持っているからである。そうすると②に移行する可能性が高くなり、その際滅ぼされるのは人間ではないだろうか。

一方、東洋型の人間においては③もありうるだろうか。筆者の疑問は、人間という存在がはたして③を目指すだけの利口さを持っているかというところにある。自律的な存在としてのロボットを目指して開発するとき、人間を規範とすれば、それは人間の持つ生存本能、つまり生物としての何十億年という時間にわたる行動のもっとも基本的な原則をも作り込むことになるだろう。それは必然的に人間との競争を生み出す。はたして、そのような人間型の自律した頭脳を作る必要があるのだろうか。

筆者は、ロボットにおける自律は人間型の自律である必要はないし、そうあってはならないと考える。これは人間中心の考え方ではあるが、あくまでも道具というカテゴリーとしての性格を失わない自律した頭脳を持つロボットを作るべきである。道具は判断しないが、ロボットの持つ自律は人間のために判断を下す。これこそがロボットにおける(人間の)倫理であると考える。

だが、人間と同様に自律的なロボットを作ることを目指すならば、②における滅ぼされる種族が人間である確率がとても高いことを覚悟する必要がある。なぜなら、論理的な思考能力においてＡＩ(ロボット頭脳)は人間をはるかに超えているからである。

議論されるべきポイントは以下である。

- 人間を目標とするような自律ロボットの開発は正解か。
- 人間と共存できるような自律ロボットとはどのようなものか。
- ロボットの倫理が人間と共存することを目指すものであるなら、そのような自律ロボットを作ることが人間の倫理か。
- それには、生物としての人間が持つ生存本能を作り込むことは倫理違反だということの認識が必要ではないか。

•生存本能を持つ自律ロボットは必ず人間との生存競争を起こす。その際、高い確率で勝つのはロボットではないか。
•そのようなロボットを作ってしまう人間ははたして生存する価値があるか。

最後の項目は、人間がそのようなロボットを作ってしまうような存在であるならば、淘汰《とうた》されても仕方がないのではないかという筆者の静かな諦め(resignation)から出ている。

人間ははるか昔からの進化によって生存本能のまま行動するのではなく、社会的な存在としての己を律する倫理を形成してきた。はたして生存本能を持つ自律ロボットはそのような倫理を獲得できるのであろうか。そのとき、対人間の倫理はどう獲得するのであろうか。倫理をロボットに作り込むというのであればどのような倫理を作り込むのであろうか。倫理は何か絶対的なものがあるわけではなく、歴史的にも地理的にも変化するものである。誰がどのような倫理を作り込んだとしてもそれは偏ったものとならざるを得ない。やはり、自律するロボットは自分で倫理を学ぶしかない。人間に問われているのは、そのときロボットに何を教えるかではないだろうか。

ロボットではないが、人間対ＡＩの関係において以下の例は興味深い。チェスの世界においてＩＢＭ社が開発したチェス専用スーパーコンピュータ Deep Blue が人間のトップ・プレイヤー、ガルリ・カスパロフ氏に勝利した(一九九七年)のは大きな話題になった。その後、カスパロフ氏はＡＩの持つ過去のチェスのデータベースにアクセスできるなら、よりチェスの可能性は広がると考え、ＡＩのサポートを受けながら人間が指す形式、つまり人間とＡＩのチームで戦うやり方を考案した。これが「ケンタウロス」スタイルと呼ばれているやり方であるが、まさにＡＩと人間の協調である。対戦相手から協調相手への変換が起こっている。

もちろん、ＡＩはまだ自律性を持っていない存在ではあるが、人間にとってこの関係は望ましい関係である。あえて言うならば、ロボットが自律した存在になったとしても、これこそ人間対ロボットの(人間から見た)望むべき姿であろう。筆者自身の介護者支援ロボットの研究においても、ロボットは介護者を支援する存在で、介護の主役はあくまで人間である。介護者支援ロボットと介護者がチームとなって介護を行うことによって全体としての介護の質を担保することが、筆者の介護者支援ロボットの狙いである。

人間と共存することを倫理として持つ自律ロボットはどのように創れば良いのかを真剣に研究すべき時が来ている。

（1） Wikipedia より。https://en.wikipedia.org/wiki/Humanoid

（2） YouTube, "Electronic robot 'Unimate' works in a building in Connecticut, United States. HD Stock Footage." https://www.youtube.com/watch?v=zjPAgZ7Csjw

（３）YouTube, "Automatic Handling Equipment Called 'versatran.' (1967)." https://www.youtube.com/watch?v=mUp_8trpNGY

（４）牧野洋・村田誠・古屋信幸「ＳＣＡＲＡロボットの開発」、『精密機械』第四八巻第三号、一九八二年、三七八―三八三頁。

（５）昔の窓は外側に開いたので窓拭きは大変な仕事だった。それで、当時のメイド候補者はたびたびこう宣言した。これを受けてやりたくないことを示すフレーズとして使われるようになった。このフレーズはMac ユーザーには違った意味もある(windows→Windows™)。

（６）友納正裕『ＳＬＡＭ入門――ロボットの自己位置推定と地図構築の技術』オーム社、二〇一八年。

（７）「キラーロボット反対キャンペーン」の運営委員を務めるAAR Japan のウェブサイトを参照。「キラーロボットのない世界に向けて、東京声明を採択しました」https://www.aarjapan.gr.jp/about/news/2019/0228_2719.html

（８）外務省「自律型致死兵器システム（ＬＡＷＳ）について」https://www.mofa.go.jp/mofaj/dns/ca/page24_001191.html

（９）Russell, Stuart, Anthony Aguirre, Emilia Javorsky, and Max Tegmark, "Lethal Autonomous Weapons Exist; They Must Be Banned." *IEEE Spectrum*, 16, Jun, 2021. https://spectrum.ieee.org/lethal-autonomous-weapons-exist-they-must-be-banned　ＩＥＥＥ(Institute of Electrical and Electronics Engineers)はアメリカ発祥の世界最大の電気電子系学会。『*IEEE Spectrum*』はＩＥＥＥが定期発行する雑誌。スチュワート・ラッセルはカリフォルニア大学バークレー校コンピュータ・サイエンス学科教授。アンソニー・アギーレは同大学サンタクルツ校情報物理学科教授でＦＬＩの創設者の一人。エミリア・ジャヴォルスキーは医者・科学者でＦＬＩにおいて非人道的兵器に反対する科学者グループのリーダー。マックス・テグマークはマサチューセッツ工科大学物理学科教授でＦＬＩの創設者の一人。

（10） YouTube, "Slaughterbots." https://www.youtube.com/watch?v=9CO6M2HsoIA

（11） Göksel Yıldırım, "Kamikaze drone üretimini ilk kez AA görüntüledi," Anadolu Agency, 15, Jun, 2020. https://www.aa.com.tr/tr/bilim-teknoloji/kamikaze-drone-uretimini-ilk-kez-aa-goruntuledi/1877276

（12） 介護ロボットオンラインサイト https://kaigorobot-online.com/　介護ロボットポータルサイト http://robotcare.jp/jp/home/

（13） 介護ロボットポータルサイト「本サイトについて」http://robotcare.jp/jp/about/index.php

（14） 厚生労働省「介護ロボットの開発・普及の促進」では、ロボットとは、以下の三つの要素技術を有する機械システムとされている。情報を感知し(センサー系)、判断し(知能・制御系)、そして動作する(駆動系)。なお、このサイトには介護系ロボットの開発事業に関する資料が数多く掲載されている。https://www.mhlw.go.jp/stf/seisakunitsuite/bunya/0000209634.html

（15） 知能システム社およびPARO Robots US社によるプレス向け発表資料、二〇一八年一〇月一五日。

（16） https://robotstart.info/

（17） 「メンタルコミットロボットとは?」http://paro.jp/?page_id=241

（18） S. Sugano and K. Tomiyama, "Kawaii-ness in Motion," M. Ohkura (ed), *Kawaii Engineering - Measurements, Evaluations, and Applications of Attractiveness*, Springer, 2019, pp. 77–92.

（19） 労働政策研究・研修機構「データブック国際労働比較　二〇一九」https://www.jil.go.jp/kokunai/statistics/databook/2019/documents/Databook2019.pdf

（20） K. Engelhart, "What Robots Can – and Can't – Do for the Old and Lonely: For elderly Americans, social isolation is especially perilous. Will machine companions fill the void?" *The New Yorker*, May 31, 2021 (Originally written on May 24, 2021). https://www.newyorker.com/magazine/2021/05/31/what-robots-can-and-cant-do-for-theold-and-lonely

(21) Robert Sparrow, "The March of the robot dogs," *Ethics and Information Technology*, Vol. 4, 2002, pp. 305–318.

(22)「知情意」という言葉は、哲学者カントが人間として必要なものとして提唱した「私は何を知りうるか・私は何をなすべきか・私は何を望んでよいか」をもとにしていると言われている。

(23) 前野隆司「ロボットの心・意識を作る」、『Bio Industry』第二六巻第九号、二〇〇九年、五九—六三頁。

(24) 例えば、次を参照。Y. Miyaji and K. Tomiyama, "Virtual Emotion for Robots – What, Why, and How –," International Symposium on Affective Science and Engineering 2018 (ISASE-MAICS 2018), Proceedings A1–2, Spokane, May 2018. https://www.jstage.jst.go.jp/article/isase/ISASE2018/0/ISASE2018_1_2/_article/-char/ja

第三部

ＡＩと社会

第五章　ＡＩを活用した未来構想と地球倫理

広井良典

一　ＡＩを活用した未来構想と政策提言
――ＡＩにできること／できないこと

ＡＩを未来社会の構想や政策立案に活用できるか

近年、あらゆる場面でＡＩ（人工知能）という言葉が使われるようになり、一部にはいささかＡＩを過大評価あるいは〝神聖視〟するような論も多く存在する。その一つの極には、アメリカの未来学者カーツワイルが唱えるいわゆる「シンギュラリティ（技術的特異点）」論のように、最高度に発達したＡＩがやがて人間を凌駕し、さらにはそれが改造された人間と結びついて〝永遠の意識〟ないし最高の存在が生まれるといった議論もある。

ここで多少個人的な述懐を記させていただくと、私は一九八〇年代の終わりの二年間をＭＩＴ（マサチューセッツ工科大学）の大学院生として過ごしたが、当時もまたAIの議論が非常に活発だった時期――現在では〝第二次ブーム〟と呼ばれている――であり、専門家の判断を代替する「エキスパート・システム」といったことがよく言われ、病気の診断などはこれですべてできるので医者はやがていらなくなるという議論が盛んになされていた。

その後AIの議論はかなり沈静化していき、やがて昨今の隆盛に至るのだが、そうした大きな流れを思うと、近年のAIブームやそれに関連する論議は、かなり距離を置いて見る必要があるだろう。

以上の点を踏まえた上で、しかし一方、**もしかりにAIが様々な推論や論理等の面において一定の優れた面をもっているのだとしたら、それを未来の社会構想や政策立案に何らかの形で活用できないか**、という問いが生まれる。

なぜなら、あらためて確認するまでもなく、現在の社会は多くの問題を抱えていると同時にそれらはきわめて複雑な構造をなしていて、その解決には無数の社会的要因の相互影響関係の分析や、未来に関するシミュレーション等々が必要となるからである。

また、次のような視点も重要ではないか。たとえば現在の日本社会の場合、様々な政策立案や公共的な意思決定の多くが、人々にとっていささか縁遠いところで〝ブラックボックス〟的に行われていることは否めないだろう。

だとすれば**公共政策の策定過程にAIを活用することは、むしろ政策の決定プロセスやその根拠を、**

現状よりもオープンで透明性が高く、合理的で、さらには「民主的」なものにできる可能性をもつのではないか。

この場合、ＡＩについては、その計算(ないし推論)過程が〝ブラックボックス〟的であるという批判が以前からあり、それは(ＡＩの定義や使い方にもよるが)一定の妥当性をもっている。

しかしあえて言うならば、現在の日本の政治や政策決定のほうがある意味ではるかに〝ブラックボックス〟的であり、したがって政策立案にＡＩを活用することは、全体としてむしろその決定プロセスや根拠を透明化する方向に働くのではないか。

一方、ＡＩが政策や政治と結びつくと、それは究極の独裁政治や専制、管理社会に結びつくという議論も活発に行われている(1)。

そうした恐れがあるのは確かだが、しかしそれは最終的にはＡＩそのものの問題というよりは、むしろその「社会」の性格やありようの問題ではないか。単純化して言うならば、ＡＩの存在とは無関係に、独裁政治や管理社会といったものは様々なバリエーションで存在する。「ＡＩ独裁」を私たちが恐れるとき、実はそれはＡＩそのものではなく、ＡＩの背後にいる「人間」や「社会」のありようを恐れているのでないのか。

加えて以上のような議論は、そもそもＡＩの能力をいささか過大評価しており、実は冒頭にふれたような〝ＡＩ崇拝(過大評価)論〟と共通の土俵に立っているという面がある。実際には、ＡＩができることは実はきわめて限られた範囲にとどまっており、この点は後ほどあらためて具体的に考えてみたい。

AIを活用した未来シミュレーション――「二〇五〇年、日本は持続可能か?」

さて、ここまで述べてきたような問題意識を踏まえて、私たちの研究グループ(私を代表とする京都大学の研究者四名と、京都大学に創設された日立京大ラボのメンバー)は二〇一七年九月、AIを活用した日本社会の持続可能性と政策提言に関する研究成果を公表した。(2) この内容をここでまず簡潔に紹介してみたい。

研究の出発点にあったのは、現在の日本社会は「持続可能性」という点において〝危機的〟と言わざるをえない状況にあるという問題意識である。特に次のような点が指摘できるだろう。

(1)財政あるいは世代間継承性における持続可能性:政府の債務残高ないし借金が一〇〇〇兆円あるいはGDPの約二倍という、国際的に見ても突出した規模に及んでおり、その結果、膨大な借金を将来世代にツケ回ししていること。

(2)格差および若い世代に関する持続可能性:生活保護受給世帯ないし貧困世帯の割合が一九九〇年代半ば以降急速に増加しており、格差が着実に広がるとともに、子ども・若者への支援が国際的に見てきわめて手薄いことから、若年世代の困窮や雇用不安が拡大し、このことが低出生率あるいは少子化の大きな背景となっていること。

(3)コミュニティないし「つながり」に関する持続可能性：著名な国際比較調査(ミシガン大学が中心に行っている「世界価値観調査」(World Values Survey)において、「社会的孤立度」(＝家族などの集団を超えたつながりや交流がどのくらいあるかに関する度合い)が、日本は先進諸国においてもっとも高くなっていること。

こうした事実に示されるように、現在の日本は持続可能性という点において相当深刻な状況にある。そして、「二〇五〇年、日本は持続可能か？」という問いをテーマとして設定した場合、現在のような政策や対応を続けていれば、日本は「持続可能シナリオ」よりも「破局シナリオ」に至る蓋然性が高いのではないか。

このような問題意識を踏まえ、ＡＩを活用し、また「幸福度」といった主観的な要素も視野に入れた形で将来シミュレーションを行い、日本社会の未来の分岐構造がどのようなもので、またどのような対応がなされるべきかを探ったのがこの研究である。

具体的には、日本社会の現在そして未来にとって重要と考えられる、人口、高齢化、経済、エネルギー、環境等に関する約一五〇個の社会指標についての因果連関モデルを作成し、その後、ＡＩを用いたシミュレーションにより二〇一八年から二〇五二年までの三五年間にわたる約二万通りの未来シナリオ予測を行い、それらを最終的に六つの代表的なシナリオ・グループに分類した。分類にあたっては、①人口、②財政・社会保障、③都市・地域、④環境・資源という四つの持続可能性と、(a)雇用、(b)格差、(c)健康、(d)幸福という四つの観点に注目した。

AIが示す日本の未来シナリオ——「都市集中型」か「地方分散型」かが最大の分岐点

シミュレーションの結果として明らかになったのは次のような内容だった。

(1)二〇五〇年に向けた未来シナリオとして主に「都市集中型」と「地方分散型」のグループがあり、その概要は以下のようになる。

(a)都市集中型シナリオ

主に都市の企業が主導する技術革新によって、人口の都市への一極集中が進行し、地方は衰退する。出生率の低下と格差の拡大がさらに進行し、個人の健康寿命や幸福感は低下する一方で、政府支出の都市への集中によって政府の財政は持ち直す。

(b)地方分散型シナリオ

地方へ人口分散が起こり、出生率が持ち直して格差が縮小し、個人の健康寿命や幸福感も増大する。

ただし、次項以降に述べるように、地方分散型シナリオは、政府の財政あるいは環境(二酸化炭素排出量など)を悪化させる可能性を含むため、このシナリオを真に持続可能なものとするには、細心の注意が必要となる。

(2)二〇二五―二七年頃までに都市集中型か地方分散型かを選択して必要な政策を実行すべきである。

二〇二五―二七年頃に、都市集中型シナリオと地方分散型シナリオとの分岐が発生し、以降は両シナリオが再び交わることはない。持続可能性の観点からより望ましいと考えられる地方分散型シナリオへの分岐を実現するには、労働生産性から資源生産性への転換を促す環境課税、地域経済を促す再生可能エネルギーの活性化、まちづくりのための地域公共交通機関の充実、地域コミュニティを支える文化や倫理の伝承、住民・地域社会の資産形成を促す社会保障などの政策が有効である。

(3)持続可能な地方分散型シナリオの実現には、二〇三四―三七年頃まで継続的な政策実行が必要である。

地方分散型シナリオは、都市集中型シナリオに比べると相対的に持続可能性に優れているが、地域内の経済循環が十分に機能しないと財政あるいは環境が極度に悪化し、(2)で述べた分岐の後にやがて持続不能となる可能性がある。これらの持続不能シナリオへの分岐は二〇三四―三七年頃までに発生する。持続可能シナリオへ誘導するには、地方税収、地域内エネルギー自給率、地方雇用などについて経済循環を高める政策を継続的に実行する必要がある。

研究を進めた私自身にとってもある意味で予想外だったのだが、ＡＩによる日本の未来についてのシミュレーションが示したのは、日本全体の持続可能性を図っていく上で、東京一極集中に象徴されるような「都市集中型」か「地方分散型」かという分岐ないし対立軸が、もっとも本質的な分岐点ないし選択肢であるという内容だった。

いま述べた内容から、二〇二〇年に生じた新型コロナウイルス感染症のパンデミックを連想する読者も多いだろう。感染症がまず広がったのはニューヨーク、パリ、ロンドンそして東京など、人口の集中度が高い数百万人規模以上の大都市圏である。これらの極端な「集中型」地域は、他でもなく〝三密〟が常態化し、感染症の拡大が容易に生じやすく、現にそうしたことが起こったのだ。

今回の新型コロナ禍は「都市集中型」社会のもたらす脆弱性や危険度の大きさを白日の下にさらしたと言うべきであり、この点に絞って見れば、まるでＡＩが新型コロナ禍をめぐる状況や課題を〝予言〟していたかのような側面が見られたことになる。

「AI‐BP」（AIに基づく政策立案）の可能性と展開

少々手前味噌となるが、以上のようなＡＩを活用した未来構想と政策提言という試みは他にあまり例がないものであったため、公表以降、政府関係機関や地方自治体、企業等から多くの問い合わせがあり、ＡＩを活用した同様の試みを進めて現在に至っている。

たとえば長野県との共同研究では、①長野県が二〇四〇年に向けて持続可能な社会を実現していくための方策は何か、②リニア新幹線が開業した後に近隣の地域が望ましい形で発展するにはどのような対応が必要かという二つのテーマを設定し、ＡＩを活用したシミュレーションと採られるべき政策についての研究をまとめ、二〇一九年四月に公表した(3)。

これら以外にも、岡山県真庭市、兵庫県、広島県福山市、岩手県等の自治体や政府関係機関、企業等と同様の政策研究を進めており、そうした中で内容や手法も進化している。また、新型コロナウイルス感染症の発生を受け、「ポストコロナ」の日本社会に関するシミュレーション等を二〇二一年二月に公表した(4)。

全体として、こうした試みは「ＡＩに基づく政策立案」、あるいは「ＡＩＢＰ」(AI-based Policy Making)と呼ぶことができるだろう。それはなお未開拓の領域であり、私たちの研究もなお試行錯誤の段階だが、ＡＩを活用した未来構想と政策提言は、

①無数の未来を網羅的に列挙することを通じ、現状や未来についての人間の「認知のゆがみ」を是正し、

②多くの要因間の「複雑」な関係性や影響構造を分析でき、

③「不確実性」や「あいまいさ」を組み入れた予測をなしうる

といった長所をもっている。ある意味でそれは、一九七二年に公表され、地球資源や環境の有限性を(当時なお珍しかった)コンピュータ・シミュレーションを通じて初めて明らかにしたローマ・クラブ報告書『成長の限界』の、いわば〝AIバージョン〟ないし現代版と言える側面をもっている。

とはいえ先ほど「試行錯誤」と記したように、まだまだ課題は多い。ちなみに環境政策などの分野で以前から論じられ、近年では幅広い領域で言及されるようになっている「バックキャスティング(未来逆算)」との関連で見るならば、ここで述べているAIを活用した分析手法は、ありうる未来シナリオの明確化とともに、各々のシナリオに至るために重要となる要因ないし政策を明らかにするという意味で、全体として、「フォアキャスティング(未来予測)」と「バックキャスティング」の両者を組み合わせた方法――いわば〝フォア・バック・キャスティング〟――と呼びうる性格をもっていると思われる。

AIにできること/できないこと――未来構想あるいは政策立案におけるAIと人間

しかし一方、以上のように記すと、人間ではなくAIが「未来」の構想をしているように聞こえるかもしれないが、それは正しくない。すなわち、シミュレーションの土台となる「モデル」の作成を行うのも、シミュレーション結果を踏まえた意味の解釈、評価軸の選定、価値判断等を行うのも人間であり、ＡＩはあくまで補助的な「ツール」にすぎない。

私は以上を〝サンドイッチ型〟の構造と呼んでおり、つまりモデル作成という始めの部分と、シミュレーション結果の解釈や価値選択という終わりの部分の両者を、人間が「挟み込む」ような形で行っており、ＡＩが行うのは中間のシミュレーション（計算）の部分であって、いわばＡＩは〝人間の手のひらの上で〟作業をしているようなものにすぎないのだ。

ここで、「そもそもＡＩに何ができ、何ができないか」という基本論に関する若干の整理を行っておこう。これについては、マクリーンというアメリカの神経学者が提案した、「脳」の構造に関する比較的よく知られた議論が参考になる。

すなわち脳は基本的に三つの部位から成り立っており、もっとも土台にあるのは脳幹と呼ばれる部分で、これは本能ないし生存に関わっている（他の生物と共通）。二番目は大脳辺縁系ないし旧皮質と呼ばれる部分で、これは感情や社会性に関わり、哺乳類以降に進化した生き物で特に発達している。そして三番目は前頭葉ないし新皮質と呼ばれる部分で、これは他でもなく「知」、つまり思考や論理や認識に関わる部分で、人間において大きく発達した部分である（図1参照）。

ここにおいて重要なことは、以上のような脳の進化とともに人間は〝高次〟の認識をもつようになっていったわけだが、しかしこの進化のプロセス自体が示すように、後の段階で発達した脳の機能は、

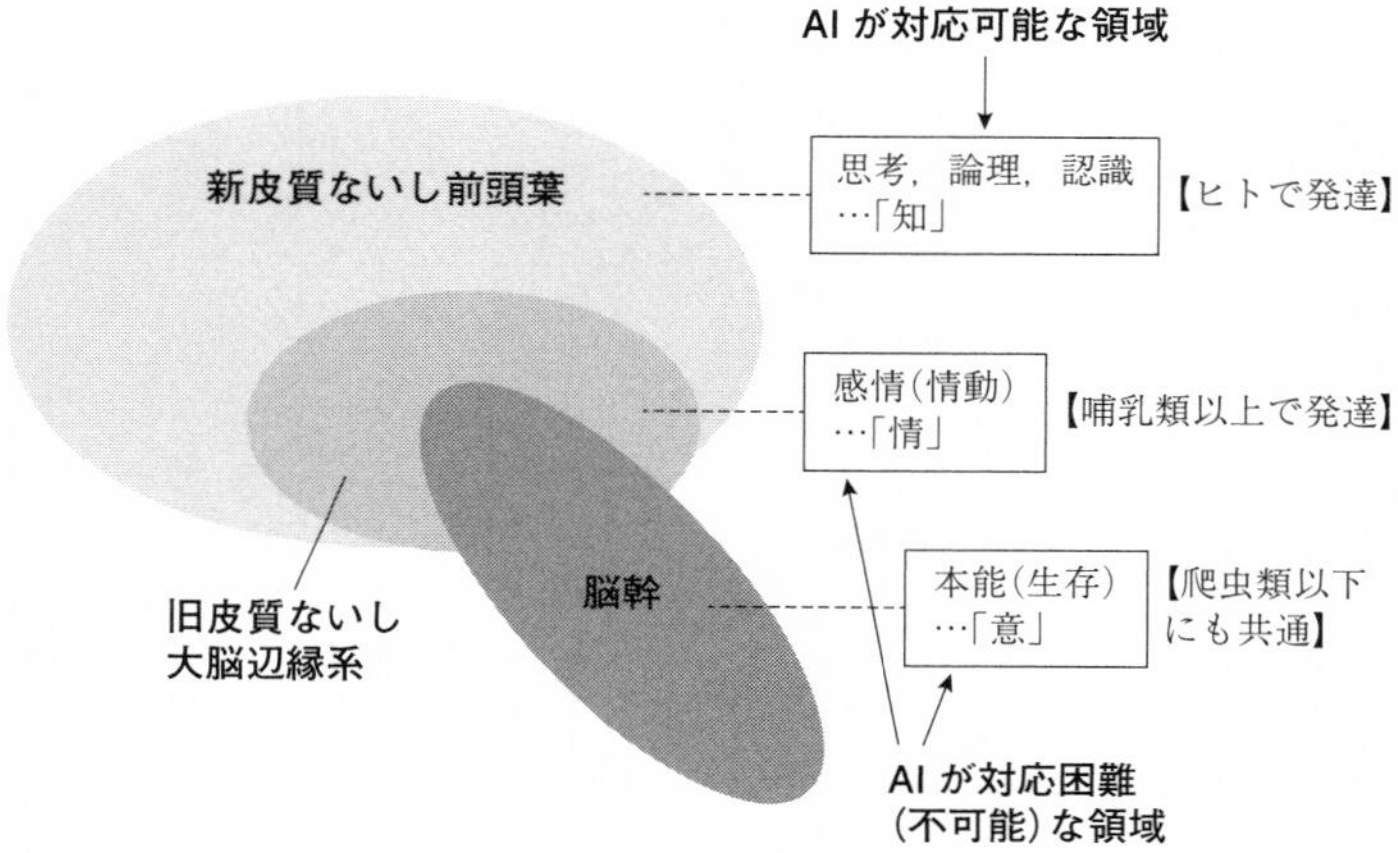

図 1　脳の進化と構造：AI にできること／できないこと

実は前の段階の脳の機能を〝土台〟として成り立っているという点だ。つまり「知」というものは、感情や社会性、そして生存への志向という基盤があってこそ成り立つものなのである。

この点を少し掘り下げて考えてみよう。たとえば、私たち人間が「世界」を認識するとき、そこでは無数の「情報」を見ていることになるわけだが、それは決して無機質な情報の集積を見ているのではない。むしろ私たちはそこに様々な「意味」を見出しているのであり、言い換えれば、**私たちは世界にある無数の情報の中から、私たちにとって重要なものを選別し、価値づけているのであって、それが世界の「意味」、あるいは世界そのものとして立ち現れるのである。**

そして、この点がもっとも重要なのだが、そうした世界の「意味」性を支えているのは、あるいは世界に「意味」が生じるのは、究極的には私たちが「生命」をもち、あるいは「生存」を志向する存在だからである。つまり私たちは世界の無数の情報のうち、私たちの生存にとって有用なものを選び出し、それに優先順位を与え、あるいは好き嫌いや好悪の感覚ないし感情とともに価値づける。それが世界の「意味」として立ち現れるのである。

一方、ＡＩは先ほどの脳の三つの機能の中で、最後の(「知」に関わる)部分だけを切り離して機械にしたものだ。したがって純粋に論理や認識に関わる面――記憶の容量や推論スピードなど――では人間をはるかに凌駕しうる半面、その土台にある価値判断や意志といった機能はもちあわせておらず、ＡＩはそれだけで独立することはできない。

先ほどの未来構想やシミュレーションとの関連に戻ってみよう。先述のようにＡＩは、多数の要因間の「複雑な関係性」、そして「不確実性」を含むシミュレーションを行うことができるという点において有効なツールとして活用でき、それは今後も着実に発展させていくべきである。しかし同時に、先ほど〝サンドイッチ型〟の構造と呼んだように、そもそもこの世界において、いかなる事象や出来事が「重要」な事柄であるかを見定め、あるいは何がそもそも「問題」であるかのテーマ設定を行い、それを踏まえてＡＩが行う計算のベースとなるモデル作りや、結果の「意味」の解釈、「価値」選択、そして未来社会の「構想」を行うのはあくまで人間である。

要するに、ＡＩは未来を予測したり構想したりする〝道具〟として積極的に活用できるが、予測の土台となるモデルや構想そのものを作るのは人間であり、ＡＩによる未来シミュレーションの意味は、人間にかかっている。

さらに次のように考えることもできるだろう。すなわちＡＩの登場によって、あるいはここで述べてきたような未来シミュレーションに関するＡＩと人間の〝協働〟という新たな試みにおいて、逆に人間による未来の「構想力」や「価値判断」の重要性が浮かび上がり、つまり「（ＡＩにはできない）人間固有の領域」が明らかになり、その真価が問われる時代を迎えているのではないだろうか。

ＡＩと「ラプラスの魔」

以上述べてきた点を、少し違った角度から吟味してみよう。それは〝現代版「ラプラスの魔」〟と呼べるようなテーマである。

ピエール＝シモン・ラプラス（一七四九―一八二七）は、一八世紀から一九世紀を生きたフランスの数学者、物理学者ないし天文学者で、ニュートンの重力理論を使って太陽系の安定を数学的に証明したことや、確率論に関する業績（ＡＩ関連でも用いられるベイズ推定ないしベイズ確率を発展させた）などで知られる(5)。

そして彼が後世において特によく言及されるのは、「ラプラスの魔」と呼ばれる決定論的な自然観に関してであり、それは、ある時点において作用しているすべての力学的・物理学的状態を完全に把握できれば、未来はすべて完全に予測できるという世界観をいう（「ラプラスの魔（デーモン）」という言葉自体は、一九世紀ドイツの生理学者デュ・ボア＝レーモンの造語から変化した語）。たとえばラプラスは「確率についての哲学的試論」の中で次のように述べている。

与えられた時点において自然を動かしているすべての力と、自然を構成するすべての実在のそれぞれの状況を知っている英知が、なおその上にこれらの資料を解析するだけ広大な力をもつならば、（中略）この英知にとっては不確かなものは何一つないし、未来は過去と同じように見とおせるだろう。(6)

科学史的に見れば、こうした世界観は一七世紀の科学革命そして一八世紀の啓蒙主義を経た後の、物理学ないし力学を中心とする因果論的決定論の象徴であり、ただし、それはその後の量子力学の展開において非決定論的な自然把握（不確定性原理など）が台頭する中で、背景に退いていったと論じられたりもする。

しかし考えてみよう。近年のＡＩをめぐる議論は、たとえば「ビッグデータ」に関する話題などを見ても、ある種の〝現代版「ラプラスの魔」〟と呼べるような性格を帯びてきているのではないか。つまり、「ビッグデータを通じて世界を把握すれば、消費者の購買行動にせよ、選挙での投票行動にせよ、世界の現象のすべてを予測することができる」といった類いの議論であり、これはまさに一つの「ラプラスの魔」である。

ここでは、あたかもAIが世界のすべてを予見する神のような存在として理解されることになる。それは「ラプラスの魔」ならぬ「AIの魔（デーモン）」と呼べるかもしれない。

私たちはこうした議論をどう理解すればよいのか。

結論的に言えば、私自身はこの種の論には基本的に「No」という見解である。思えばこれは、先ほどAIを活用したシミュレーションに即して述べた議論と共通している。すなわちおよそ「世界」というものは、人間が何らかの認識枠組み（モデル）を通じてその〝断面〟を把握し、かつそれに「意味」を与えているものである。したがって、人間が世界のすべてを把握するということは原理的にありえず、その意味において「ラプラスの魔」的な世界観は否定されざるをえない。ビッグデータについても同様で、そこには何らかの情報の選別やテーマ設定が存在しており、それは世界の一断面にすぎない。

加えて、そうしたモデルの内部においても、上記の量子力学的な把握を含めて、非決定性ないし確率論的な不確実性が存在する（ちなみに私たちの研究グループが行う未来シミュレーションにおいても、因果連関モデルの中に不確実性あるいは確率論的な要素を盛り込んでいる）。

こうした意味において、ビッグデータ論を含め、AIの能力に関する過大な評価、あるいはそれを

〝現代版「ラプラスの魔」〟的にとらえるような見方は退けられるべきだろう。

二　新しいアニミズム――生命・非生命・情報

世界の理解に関する四つの立場

前節では私たちの研究グループが行ってきたＡＩを活用した未来構想と政策提言を素材にしつつ、そもそもＡＩには何ができ、何ができないかというテーマを、「情報」や「意味」「生命」といったこととの関連で考えてきた。

ここでは、考察をさらに深める意味で、人間や生命という存在を世界全体の中でどうとらえるかという点を、より包括的な視野においてとらえ返してみよう。こうした話題を考えるにあたり表1をご覧いただきたい。

これは、そもそも世界の全体をどう理解するかについての、四つの立場を示したものである。このうちＡの「機械論」は、一七世紀のヨーロッパで先述の科学革命が起こり、現在の私たちが知る「科学」が誕生した際、近代科学が基本的に依拠した世界観だった（正確に言えば、こうした機械論的自然観が確立したのは一八世紀の啓蒙期を待ってのことである）。

いわゆるニュートン力学がその象徴となったわけだが、ただしここで注意すべきは、実はニュート

表1　世界の理解に関する4つの立場：「非生命—生命—人間」の境界をめぐって

	立　場	内　容	例
A	すべて機械論的である	物理的現象(非生命現象)—生命現象—人間について，すべて機械論的原理によって統一的に把握することができる	•近代科学一般 •ニュートン •ダーウィニズム
B	人間／人間以外で境界がある	人間と人間以外の存在との間に本質的な境界が存在する(特に「精神と物資」の不連続性)	•ユダヤ＝キリスト教的世界観 •デカルト(精神と物質)
C	生命／非生命で境界がある	生命現象と非生命現象との間に本質的な原理の相違が存在する	•ドリーシュ(「エンテレヒー」) •シュレーディンガー(負のエントロピー)
D	すべて連続的である	非生命現象—生命現象—人間の全体を貫く統一的な形成原理が存在する	•プリゴジン(非平衡熱力学) •自己組織化 •ヘッケルなど(エネルギー一元論) •アニミズム

ンは篤いキリスト教徒であり、科学が対象とする世界の〝背後〟に、神の力が働いていると考えていたという点である。たとえばニュートンは「自然界には物体の諸粒子をきわめて強大な引力によって結合させうる能動者が存在する。そしてそれらを見出すことが実験哲学の任務である」(『光学』)と述べている。ここでの「能動者」とは、キリスト教の神に他ならない。こうした点に関し、科学史家のアレクサンドル・コイレは「たとえば引力は、ニュートンにとっては純粋な機械論の不十分性の証拠であり、より高次の非機械的な力能の存在の証明であり、世界における神の臨在と作用の顕現であった」と述べている[7]。

いずれにしても、このAの世界観では、世界はすべて統一的に把握され、したがって「人間と人間以外」「生命と非生命」の間には本質的な相違は存在しないことになる。

「人間と人間以外」の境界

続いて、表1におけるBの立場は、「人間」と「人間以外(の生物や自然)」との間に本質的な境界線があると考えるものである。

ある意味でこれは、従来も様々な形で論じられてきたように、ユダヤ=キリスト教的な世界観に象徴されるものであり、またそれを一つの大きな基盤ないし柱とする近代科学にも特徴的なものであるとさしあたり言うことができる。

たとえば科学革命期における代表的存在の一人であるデカルトは、次のような問いを立てる。「猿の、または何か他の理性を持たぬ動物の、器官なり外形なりをそなえたような機械があるとして、そのような機械がそれらの動物とまるで同じ性質のものでないと認める方法はどうしても無い」が、「私どもの身体に似ていて、私どもの行為を実際にはできるかぎり模倣する機械があるとしても、それにもかかわらずそれが本ものの人間でないことを知る」方法がありうるか?

つまりデカルトはここで、「動物と機械」の間に本質的な相違はないとした上で、「人間と機械」についてはどうか、と問うているのである。

これに対するデカルトの答えは、人間と機械には本質的な相違があるというものだが、その相違を見分ける「きわめて確実な二つの方法」があると彼は論じる。それは第一に言語、第二に内心の意思の存在であり、これによってデカルトは彼が想像する〝人間機械〟と人間との間の一線を画する。(8) そしてそうした「人間と他の存在」との境界線は、そのまま「精神と物質」とも言い換えられ、デカルトは『方法序説』のこの部分を次のように結論づけている。

人間と動物とこの二つの精神がどれくらいちがうものであるかを知るとき、私どもの精神が身体から全く独立した本性に属するものであること、したがって身体とともに死滅すべきものでないことを立証する理由を一そうよく領会し、〔中略〕当然にも、精神は不滅であると判断することになる。(9)

要するにここでは、「人間と人間以外との間に本質的な境界線がある」という、Bの立場が表明されているのである。

「生命と非生命」の境界

さて、次のCの立場は、世界に存在する諸事物ないし諸現象のうち、「生命」と「非生命」の間に境界線を引き、前者(生命)は後者に還元できない固有の特質をもつとする。

たとえば〝新生気論者〟として知られるドイツの生物学者ハンス・ドリーシュ(一八六七―一九四一)の自然観はこれに該当すると言えるだろう。ドリーシュは生命現象に固有の「エンテレヒー」という概念(アリストテレスの「エンテレケイア(現実態)」に由来する造語)を唱え、それは生物の〝目的性〟に注目するものだった。ドリーシュの「エンテレヒー」概念は生命科学の中では異端的とされ忘れられていったが、しかし生命と非生命との間にある種の不連続が存在し、生命現象は非生命とは異なる何らかの固有の原理によって動いているという見方は、必ずしも珍しいものではないだろう。

その象徴的な例として、物理学者エルヴィン・シュレーディンガーが著書『生命とは何か』(一九四四年)で展開した、次のような議論は比較的よく知られたものである。シュレーディンガーは、生命はいわゆるエントロピーの増大則(=世界はすべて無秩序さが増大する方向に向かうという熱力学上の法則)に〝逆らう〟存在であり、つまり「無秩序から秩序を生み出す」のが生命現象の本質だとし、比喩的に〝生物は負のエントロピー(ネゲントロピー)を食べて生きている〟と論じたのだった[10]。

シュレーディンガーのこうした議論は、二〇世紀後半における生命現象に関する分子生物学的な探究の展開を後押しするような影響をもったとされるが、その実質に着目すれば、非生命と生命との間には異なる原理が働いていると考える点において、実は先ほどのドリーシュ的な生命観とも共通する面をもっている。

議論を駆け足で進めることになるが、近代科学のその後の歩みにおいては、世界の様々な現象が様々な観察や概念装置を通じて徐々に解明されていき、その結果、B、Cのような立場、つまり「人間と人間以外」や「生命と非生命」の間に非連続の境界線を引くような見方は徐々に退けられていったと言えるだろう。

このうち「生命と非生命」の境界線については、ノーベル化学賞を受賞したロシア出身のベルギーの化学者イリヤ・プリゴジンの議論が象徴的なものとして挙げられる。要点を簡潔に述べると、プリゴジンは平衡状態から離れた不安定な(非平衡の)系において、一定の条件のもとである種の秩序的なパターンが自然の中で生じることに注目し、これを散逸構造と名付けて分析した。

「自己組織化」の現象とも呼ばれるものだが、これは、自然現象は放っておけば(エントロピー増大則のもとで)ただ「無秩序」が増えていくだけとする従来の理解とは異なる自然観と言える。つまり、「生命」と「非生命」との間には絶対的な境界があるわけではなく、そこでは自己組織化という共通の原理が働いており、したがって(宇宙の誕生以降の)自然における自己組織化ないし秩序形成という一貫した発展の中に「生命」もとらえることができるという自然観が提起されたのである。[11]

以上は「生命と非生命」という点に関してだが、同様に「人間」と「人間以外」についても、進化生物学や脳科学等の諸領域の展開の中で、そこに絶対的な境界線を引かず、連続的な発展ないし進化のプロセスの中でとらえる見方が浸透しつつあると言える。そしてこれらの探究の結果、宇宙の誕生から生命、人間(ないし意識)に至るすべての現象が、ある一貫した秩序形成のプロセスとして理解されるようになりつつある。これが表1におけるDの立場である。

以上のことは、AIをめぐる本章の議論にとって何を意味するのだろうか。次のように考えてみたい。

「新しいアニミズム」

ニュートン以降の近代科学の歩みは、「自然はすべて機械」という了解から出発しつつ、ある意味で逆説的にも、その外部に置かれた〝ニュートン的な神〟＝世界の「駆動因」を、もう一度世界の内部に取り戻し、すなわちそれを「人間→生命→非生命」の領域へと順次導入し、拡張していった流れであったと理解できるのではないか。

それは実のところ、**近代科学成立時の機械論的自然観がいったん捨て去ったアニミズム的要素を、世界の内部に新たな形で取り戻していった流れ**と把握することもできる。つまり世界の「外」に置かれた〝ニュートン的な神〟が、世界の「内」に回復されつつあるのだ。

その結果、（自己組織化論に示されるような）現代科学は、ある意味で「新しいアニミズム」とも呼ぶべき自然像に接近しているとも言える。それは、機械論的な自然観と異なり、自然そのものの中に内発的な力あるいは駆動因が存在するととらえる点において、〝生きた自然〟の回復あるいは「自然の〝生命化〟」とも呼びうる方向だろう。

ただしここでの「生命」は、「非生命」との対照における「生命」ではなく、世界のすべてを包含するような、〝再定義〟された(あるいは広義の)「生命」である。私たちは、そうした包括的な意味の「生命」について考えていく時代を迎えているのではないか。

生命と情報

以上の議論との関連で、ふれておきたい話題がある。それは「生命と情報」をめぐる論点だ。紙数の制約もあり少々大づかみな議論となるが、歴史を大きな視点でとらえ返すと、一七世紀にヨーロッパで「科学革命」が生じて以降、科学の基本コンセプトは、大きく「物質」→「エネルギー」→「情報」という形で展開し、現在はその次の「生命」に移行しつつある時代ととらえることができると思われる。

すなわち、一七世紀の科学革命を象徴する体系としてのニュートンの古典力学は、基本的に物質ないし物体(matter)とその運動法則に関するものだった。やがて、ニュートン力学では十分扱われていなかった熱現象や電磁気などが科学的探究の対象になり、それを説明する新たな概念としての「エネルギー」が(ドイツのヘルムホルツらによって)一九世紀半ばに考案された。これは工業化の急速な進展とリンクするとともに、石油や電力エネルギーの大規模な使用という経済社会の変化を導いていったのである。

そして二〇世紀になると、二度の世界大戦における暗号解読や「通信」技術の重要性とも並行して、「情報」が科学の基本コンセプトとして登場するに至る。アメリカの科学者クロード・シャノンが情報量の最小単位である「ビット」の概念を体系化し、情報理論の基礎を作ったのが一九五〇年頃のことだった。

重要な点だが、およそ科学・技術の革新は、「原理の発見・確立→技術的応用→社会的普及」という流れで展開していく。そして一見すると、「情報」に関するテクノロジーは現在爆発的に拡大しているように見えるが、その原理は上記のように二〇世紀半ばに確立したものであり、それはすでに技術的応用と社会的普及の成熟期に入ろうとしている。つまり、「情報」やその関連産業は〝S字カーブ〟の成熟段階に入りつつあるのであり、したがって私たちは「ポスト情報化」を視野に入れた展望を考えるべき時代の局面を迎えている。

この場合、先述のように「情報」の次なる基本コンセプトは明らかに「生命」であり、それはこの世界におけるもっとも複雑かつ根源的な現象であると同時に、英語の「ライフ」がそうであるように、「生活、人生」という意味ももっている。しかもそれは(生命科学といった)ミクロレベルのみならず、生態系(エコシステム)、地球の生物多様性、その持続可能性といったマクロの意味も含んでいる。

こうした包括的な意味の「生命」あるいはそれと人間との関わりが、これからの「ポスト情報化」時代の科学や経済社会の中心的なコンセプトとなっていくと考えられる。[12] 今回の新型コロナウイル

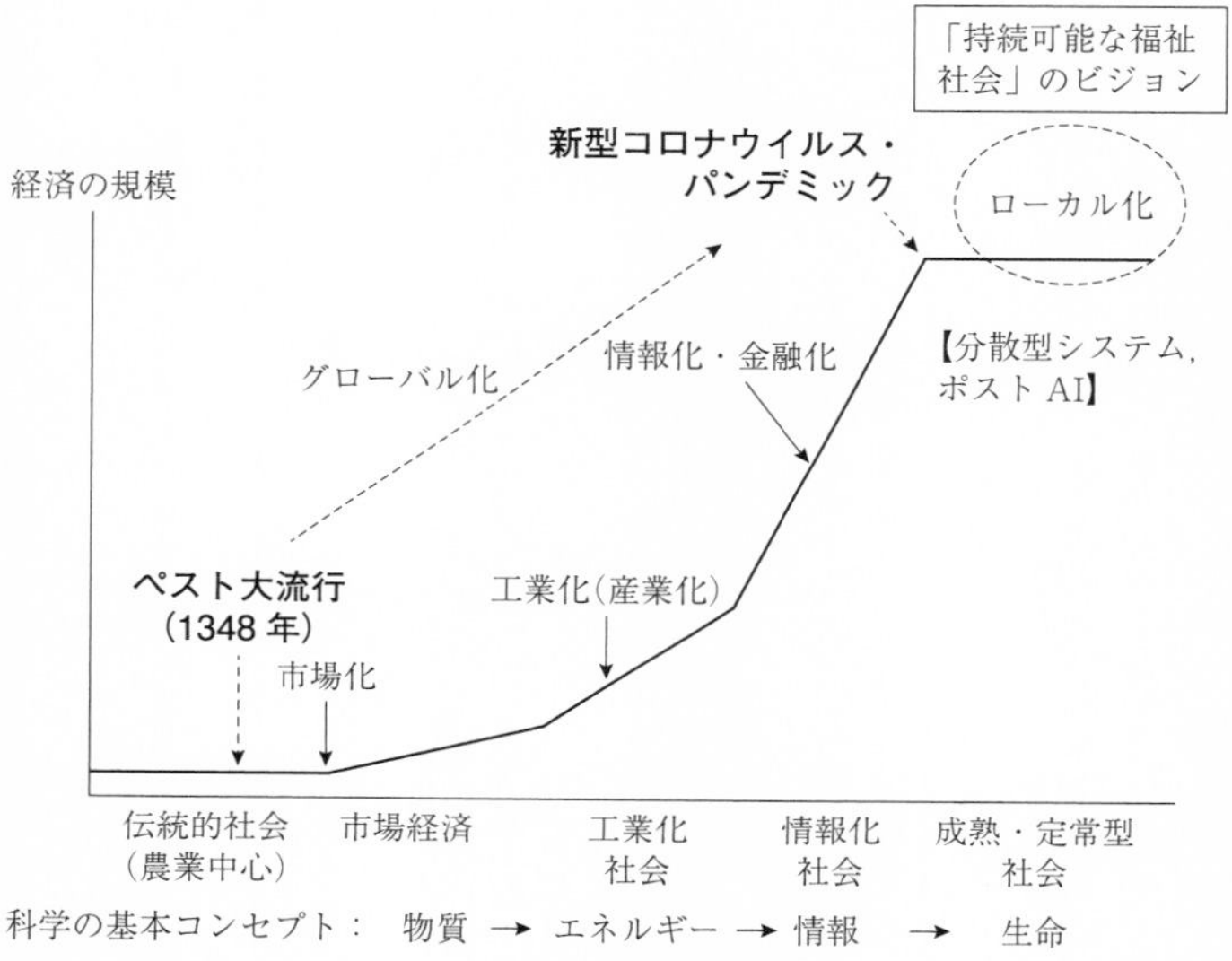

図2 経済システムおよび科学の基本コンセプトの進化

ス・パンデミックは、ある意味でそれをきわめて逆説的な形で提起したと言えるだろう。

以上の議論と、関連する経済社会システムの進化との全体的な展望を示したのが図2である。

生命は情報に還元できるか
——「情報的生命観」を超えて

ここで重要となるのは次の点である。すなわち昨今の「情報」や「デジタル」をめぐる議論で、しばしば私たちは、膨大な「ビッグデータ」や様々な「アルゴリズム」で世界のすべてを把握しコントロールできるという世界観にとらわれがちだ。そして、「生命」それ自体も「情報」によってすべて理解し把握できると考えがちなのであり、私はそれを「**情報的生命観**」と呼んできた(13)。

近年のその典型は、本章の冒頭でもふれたいわゆるシンギュラリティ論で有名なカーツワイルであり、彼の主著『シンギュラリティは近い』(*Singularity is Near*)のサブタイトルは、いみじくも「人間が生物学を超えるとき」(*When Humans Transcend Biology*)となっている。要するに、「生命」はすべて「情報」で理解ないしコントロールできる、あるいは生命は情報に還元できるというのがその基本思想である。

しかし先ほども言及したように、今回のコロナウイルス・パンデミックは、「生命」はそれほど簡単に「情報」によってコントロールできるような代物ではないということを、私たちに冷厳な形で突き付けたのではないだろうか。細菌やウイルスを含め、生命は固有の創発性ないし内発性をもっており、人間が設計したアルゴリズムのコントロールをすり抜ける形でさらに進化していく。

形式的に見れば、かりに生命を「物質＋エネルギー＋情報」として把握する場合、生命以外と異なる、生命固有の部分は「情報」ということになる。しかし、かといってここでの「情報」はその土台をなす「物質＋エネルギー」から独立して存在するのではない。

つまり「情報」の部分のみを切り離して、「情報＝生命」ととらえるのは誤りであり――先ほど指摘した「情報的生命観」はまさにこれにあたる――、根底にある「物質＋エネルギー」との相互作用、あるいは「物質＋エネルギー＋情報」の全体をとらえた探究が求められるのである。それは先ほどふれた自己組織化論ともつながり、あるいは近年様々な展開を見せているエピジェネティクスなどでの生命理解（＝ＤＮＡの情報が一義的に生命現象を規定するのではなく、環境との相互作用においてそれは展開するととらえる見方）とも通底するものだろう（なお以上に述べた話題は、西垣通氏が研究会の中でも強調した情報をめぐる「コンピューティング（情報処理）パラダイム」（フォン・ノイマン）と「サイバネティック・パラダイム」（ウィーナー）の対比とも関連していると思われる[14]）。

三　ＡＩと「地球倫理」――離陸と着陸

人類史における拡大・成長と定常化

ここまで本章においては、第一節で「ＡＩを活用した未来構想と政策提言」に即しつつ「ＡＩにできること／できないこと」について論じ、第二節では「人間と人間以外」「生命と非生命」に関する議論を踏まえて「新しいアニミズム」という視点を提起し、関連する考察を行ってきた。

本節では以上の全体を踏まえて、ＡＩそして「地球倫理」とも呼びうる発想を視野に入れた、これからの時代の価値のあり方について考えてみたい。

テーマの性格上、本章のここまでの議論よりさらにひと回り時間軸が長くなるが、ここで導きの糸としたいのは、私自身がこれまでの著作の中で論じてきた「人類史における「第三の定常化」の時

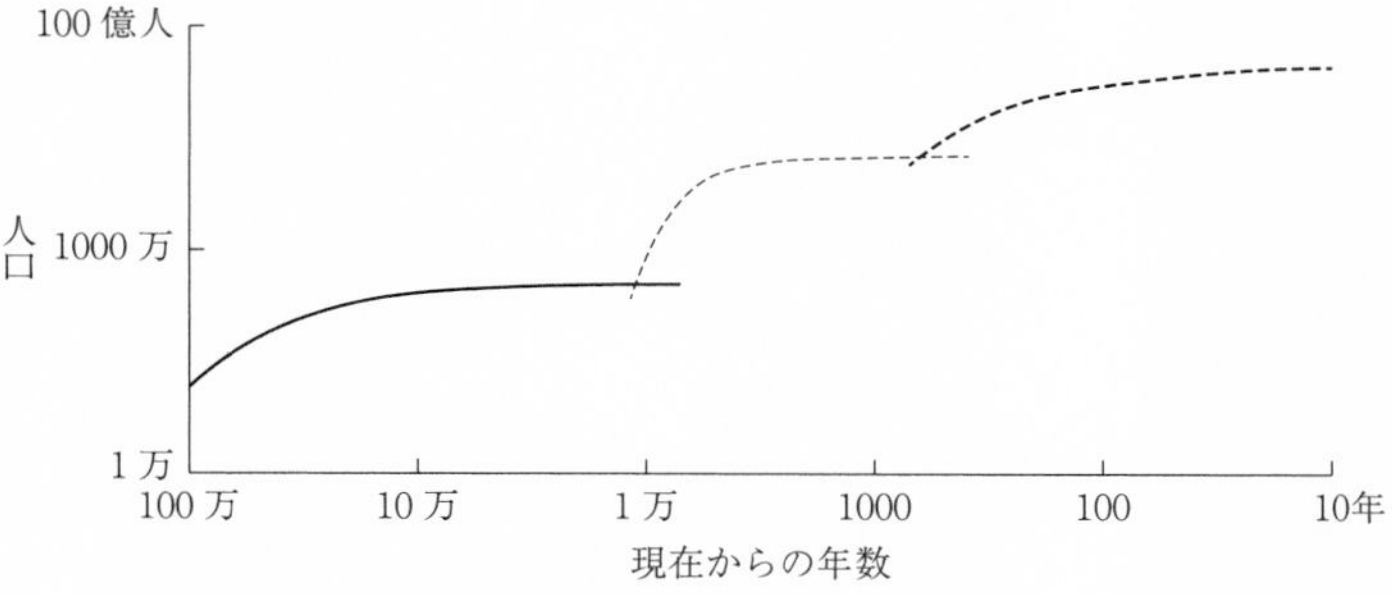

図3　世界人口の超長期推移(ディーヴェイの仮説的図式)

代」としての現代という理解である。

すなわち、人類史を大きく俯瞰すると、それは人口や経済において「拡大・成長」と「定常化」というサイクルをこれまで三回繰り返してきており(図3参照)、しかも、拡大・成長から定常化への〝移行〟期において、それまでに存在しなかったような革新的な思想や観念が生成する、ということが浮かび上がってくる。

三回のサイクルとは次のようなものだ。すなわち、第一のサイクルは私たちの祖先である現生人類(ホモ・サピエンス)が約二〇万年前に地球上に登場して以降の狩猟採集段階。続く第二のサイクルは約一万年前に農耕が始まって以降の拡大・成長期とその成熟であり、そして第三のサイクルは、近代資本主義の勃興あるいは産業革命以降ここ三〇〇―四〇〇年前後の拡大・成長期である。

この意味で、私たちはいま人類史の中での「第三の定常化」の時代を迎える入り口あるいは移行期に立っていることになる。

定常化への移行期における文化的創造――「心のビッグバン」と枢軸時代／精神革命

そして、ここで特に注目したいのは、先ほど言及したように、**人間の歴史における「拡大・成長から定常化への移行期」において、それまでには存在しなかったような何らかの新たな思想ないし価値、あるいは倫理と呼べるものが生まれた**という点だ。

この点に関し、しばらく前から人類学や考古学の分野で、「心のビッグバン」あるいは「文化のビッグバン」などと呼ばれている興味深い現象がある。たとえば加工された装飾品、絵画や彫刻などの芸術作品のようなものが今から約五万年前の時期に一気に現れることを指したものだ(わかりやすいイメージとしては、ラスコーの洞窟壁画など)。

一方、人間の歴史を大きく俯瞰したとき、もう一つ浮かび上がる精神的・文化的な面での大きな革新の時期がある。それはヤスパースが「枢軸時代」、科学史家の伊東俊太郎が「精神革命」と呼んだ、紀元前五世紀前後の時代である。この時期ある意味で奇妙なことに、現在に続く「普遍的な価値」を志向するような思想が地球上の各地で〝同時多発的〟に生まれた。すなわちインドでの仏教、中国での儒教や老荘思想、ギリシャ哲学、中東での(キリスト教やイスラム教の源流となる)旧約思想であり、それらは共通して、特定の民族を超えた「人間」という観念を初めてもつと同時に、物質的な欲望を超えた、新たな価値ないし倫理を説いた点に特徴をもつものだった。これらもまた「文化的イノベーション」と呼べる大きな革新と創造である。

いま「奇妙なことに」これらが〝同時多発的〟に生じたと述べたが、その背景ないし原因は何だったのだろうか。

興味深いことに、最近の環境史(environmental history)と呼ばれる分野において、この時代、以上の各地域において、農耕による開発と人口の急速な増加が進んだ結果として、森林の枯渇や土壌の浸食等が深刻な形で進み、農耕文明がある種の資源・環境制約に直面しつつあったということが明らかにされてきている(15)。

このように考えると、これは私の仮説だが、枢軸時代/精神革命に生成した普遍思想(普遍宗教)は、そうした資源・環境的制約の中で、いわば「物質的生産の量的拡大から精神的・文化的発展へ」という新たな発展の方向を導くような思想として生じたのではないだろうか。狩猟採集段階における「心のビッグバン」も基本的な構造は同じと考えられる。

つまり、いわば外に向かってひたすら拡大していくような「物質的生産の量的拡大」という方向が環境・資源制約にぶつかって立ち行かなくなり、資源をめぐる争いも深刻化する中で、そうした方向とは異なる、すなわち資源の浪費や自然の搾取を極力伴わないような、精神的・文化的な発展への移行や価値の創発がこの時代に生じたのではないか。

読者の方はすでに気づかれたかと思うが、これは現在ときわめてよく似た時代状況である。つまり、ここ二〇〇—三〇〇年の間に加速化した産業化ないし工業化の大きな波が飽和し、また資源・環境制

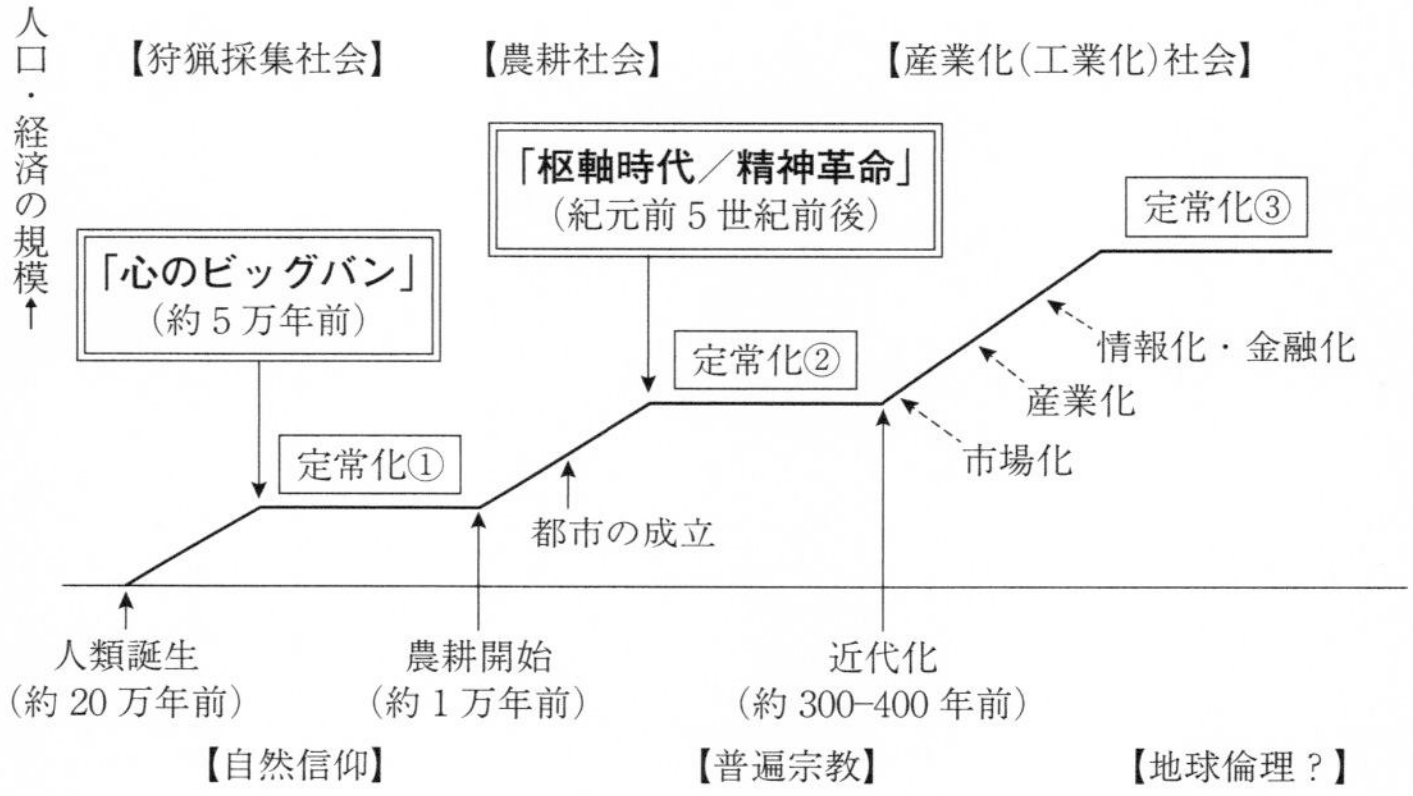

図4　人類史における拡大・成長と定常化のサイクル

約に直面する中で、私たちは再び新たな「拡大・成長から成熟・定常化へ」の時代を迎えようとしているからだ。

同時にそれは、「有限性」という話題とも関連する。すなわち環境や資源の「有限性」に直面する中で、人間はそれまでになかった思想や観念、価値を生み出し、新たな発展、そして「生存」の道への転換を行った。「新たな発展」とは、物質的な有限性を受け入れつつ、資源消費の拡大や環境負荷を伴わないような、文化的・精神的な創造という方向への転換を図ったという趣旨である。

そして、現在が人類史における第三の定常化の時代だとすれば、狩猟採集段階における「心のビッグバン」や、農耕段階における「枢軸時代／精神革命」に匹敵するような、根本的に新しい思想や価値原理が生成する時代の入り口を私たちは迎えようとしていると思われる（以上の議論をまとめたのが図4である）。

「地球倫理」の可能性とAI・ロボット

ではそうした新たな思想とは何か。それは「地球倫理」と呼べるような思想ないし世界観ではないかと私は考えており、ここで詳述する余裕はないが、そのポイントは、

①地球資源・環境の「有限性」を認識し、
②地球上の各地域における風土の相違に由来する文化や宗教の「多様性」を理解しつつ、
③それらの根底にある自然信仰を積極的にとらえていく

という点にある。

簡潔に概括するならば、①は先ほど述べた地球環境や資源の「有限性」という話題とつながり、③は前節で述べた「新しいアニミズム」と関連するような内容で、日本の文脈で言えば「鎮守の森」とか〝八百万《やおよろず》の神様〟といった表現に示される自然観ないし世界観としての「自然信仰」、つまり(機械論的なそれとは異なる)自然の中に内発的な力ないし駆動因を見出すような自然理解を再評価していくことである。②は、先ほど述べた枢軸時代/精神革命での地球上の各地における普遍思想(普遍宗教)などが、内容においてきわめて多様であることをメタレベルから把握し、そうした多様性が、地球における風土や環境の多様性に由来していることを理解するような視点を指している。(16)

それでは、こうした「地球倫理」的な発想は、ＡＩやロボットをめぐる倫理とどう関係するだろうか。

人間とロボットの双方を取り込んだエコシステムないし倫理

この点に関する重要な手がかりとして、研究会の中で富山健氏が提起した「人間とロボットの双方を取り込んだエコシステムないし倫理の可能性」という視点がある。

富山氏は、「意志(volition)をもったロボット」が最終的に可能かもしれないという論点を述べつつ、この話題に言及した。氏によればロボットの発展には三段階あり、第一段階が「道具としてのロボット」、第二段階が「自律的判断を下すプログラムをインストールされたロボット」、第三段階が「意志をもったロボット」で、この分類自体はきわめて明瞭でわかりやすいものだろう。

そして、このうち「意志をもったロボット」について、富山氏はここでの「意志」(volition)を、本章の第一節で言及したマクリーンの脳の三構造説に関連づけて述べたのである。つまり脳のもっとも基底にあり、「生存」や「本能」に関わる脳幹の部分であり、したがってこれはまさに本章で論じてきた「生命」をめぐるテーマと深く関係していることになる。

だとすれば「意志をもったロボット」とは、私の理解では何らかの意味で「生命」的な原理（あるいは「生命」そのもの）を組み込んだロボットということになる。もっとも単純に言えば、それはサイボーグあるいは何らかの改造した生命体（生物）とロボットやAIを結びつけたものが考えられるだろうし、あるいは、何らかの形で生命進化を短時間で再現して作られた生命体のようなものとロボットないしAIが組み合わさったものも考えられるかもしれない。

これらは原理上は可能かもしれないが、しかし富山氏も研究会で「判断がつかない」と述べていたように、そうした生命体を作るということ自体の倫理的問題がまず根本にあるだろう。そもそもそれはすでに「ロボット」ではないのではないか。私自身はここでは、上記の第二段階の「自律的判断を下すプログラムをインストールされたロボット」を念頭に置き、併せて富山氏の言う「人間とロボットの双方を取り込んだエコシステムないし倫理の可能性」を考えることが重要ではないかと考える。

実はこの話題に関する対応や倫理のありようは、先ほどの「地球倫理」や、前節で述べた内容の中にすでに含まれているとも言える。

つまりそれは、「鎮守の森」や〝八百万の神様〟といった表現に示されるような「自然信仰」に関わり、また前節で述べた「新しいアニミズム」ともつながる話題である。実際、富山氏も研究会の中で、「人間とロボットが両方入ったエコシステムでは、人間も絶対的な存在ではなくなるが、それは八百万の神を肯定している日本的な発想であれば、いくらかは可能なのではないか」と述べていた。

また、これに関連してくる論点は、研究会でも繰り返し議論された人間とロボット等の「連続性」をめぐる話題である。これにはメンバー間でも見解の相違や論争があったのだが、最終的には「人間とロボットあるいは他の生物は、「連続的」ではあるが、しかし全く同等であるわけではなく、そこには「階層」の違いが存在する」という認識に収束しつつあったように思う。

この認識は私自身の考えと重なり、まさに前節で述べた内容ともつながってくる。つまり前節で論じたように、「人間と人間以外」「生命と非生命」との間に絶対的な境界線を引くことはできず、その意味においてそれらは「連続的」であって、その全体は自己組織化ないし創発の一連の過程としてトータルに把握できるが、しかしそこには重層的な階層性が存在するという把握である。

ＡＩ・ロボットと地球倫理――有限な環境における多様な主体の共存

以上の議論を踏まえると、ＡＩやロボットをめぐる倫理のあり方についての基本的な視座として、次のような方向が浮かび上がってくるのではないか。

まず、（ロボットとの対比という文脈での）「人間の尊厳」を認めつつ、同時にしかし「人間中心主義」的ではない倫理ということを考えていく必要がある。思えばこの話題は、いわゆる環境倫理そして動物倫理の文脈ですでに様々に議論されてきたテーマとも言える。しかし、（これも研究会で私の質問に対して富山氏が応答されたように）もし人間以上の知性や何らかの自我をもった存在が登場するとすれば、それは従来の動物倫理等とは異なる性格をもつ面があるだろう。しかしそうした存在もまた、同じ地球において人間と存在をともにしていくことは確かだから、どちらが〝高次〟かは別として、何らかの意味での共存のあり方を探っていくことが課題になる。

第二に、ここで「生命」そして「環境」「情報」に関する理解が関係してくる。生命については、前節で述べたように、それは「生命科学」といった意味にとどまらず、英語の「life」に示されるように「生活」「人生」という意味をも含み、またミクロの次元のみならず、生態系（エコシステム）や生物多様性といったマクロの意味を含むものとして把握することが重要であり、これは地球環境をめぐる問題が大きく顕在化している現在においては特にそうである。また、この話題は同じく前節で述べ先ほども言及した、「人間と人間以外」「生命と非生命」を連続的かつ重層的な階層構造においてとらえ、かつ自己組織化と創発のダイナミックな過程としてトータルに把握するという生命観・自然観とも関わる。このように考えていくと、ＡＩやロボットをめぐる倫理は、従来議論されていた「生命倫理」「環境倫理」「情報倫理」がクロスオーバーするような、あるいはそれら三者を総合化するような枠組みにおいて構想されていく必要があるだろう。

そして第三に、こうした把握は、本節において「人類史における拡大・成長と定常化」そして「地球倫理」に即して述べた議論へとつながっていく。

そもそも「倫理」というものをどうとらえるかの基本論に関わることだが、私自身は、およそ「倫理」というものは、最初から人間の意識の中にアプリオリに存在するのではなく、特定の社会状況や環境のもとにおいて生成するものであり、さらに正確に言うならば、それはその時代状況において、人間の「生存」(あるいは持続可能性)を保障するための〝手段〟として生成するものと考えている。[17]

この点については、本節において人類史に即して行った議論を想起していただきたい。すなわち、紀元前五世紀の枢軸時代/精神革命において、地球上の各地で、現在に続くような普遍的な倫理や宗教が同時多発的に生まれたのだが、それは農耕文明が資源・環境の「有限性」にぶつかり、森林の枯渇や土壌浸食等が進むとともに資源や領土をめぐる紛争が多発するという状況の中で、人間の行動を限りない欲望拡大や資源消費とは異なる方向に転換するものとして、つまり「物質的生産の量的拡大から文化的・精神的発展へ」という方向を導き、そのことを通じて(有限な環境のもとでの)人間の「生存」そして持続可能性を保障する手立てあるいは価値原理として生成したのだった。

だとすれば、AI倫理やロボット倫理というものも、いわばそれを〝真空〟の中でとらえるのではなく、現在の人間や経済社会が置かれた環境や時代状況において位置づけていくべきだろう。すなわちそれは、人類史での第三の定常化の時代としての現在という状況において、「地球という有限な環境における多様な主体の共存」という視座の中で、前節から述べてきた「新しいアニミズム」という認識とも併せながら深めていくことが求められている。

「離陸」と「着陸」

最後に、以上のような議論を今後進めていくにあたって基本となる方向を、「情報とコミュニティの進化」そして「離陸と着陸」という把握に即して述べたい。

ここで、かつてカール・セーガンが行った次のような議論を導きの糸としてみよう[18]。基本的な理解として、生物にとって情報は大きく「遺伝情報」と「脳情報」に分けることができる。前者はいわゆるＤＮＡに組み込まれた情報であり、これは他でもなく遺伝子(という情報メディア)を通じて親から子へとバトンタッチされていく。

しかしながら、生物が複雑になっていくと、この遺伝情報だけでは〝不十分〟になってくる。つまり、必要な情報の容量ないし容器がＤＮＡでは間に合わなくなってくるのだ。

そこで遺伝情報に加えて、生物は「脳」という情報の貯蔵メディアを作り出し、「脳情報」を通じて様々な情報の蓄積や伝達を行うようにした。

ここで重要なのは、脳情報の伝達は生物の「個体」の間の様々なコミュニケーションによって行われるという点だ。たとえば親が子に様々なことを教えるのがその原初形態だが、遺伝情報と異なるもう一つの点は、脳情報の場合は親子といった血縁関係に限らず個体の間で伝達が行われ、しかもそれは一方向的な伝達ではなく相互的であるという点だ。そしてこうした中で形成されるのが個体間の様々な「コミュニティ」に他ならない。

こうした脳情報は生物進化の中で次第にその比重が大きくなり、特に哺乳類において大きく拡大することになるが――「哺乳」という表現自体がそれを示している――、言うまでもなくそれが最高度に展開したのが人間という生き物である。

さて、情報の進化に関するセーガンの議論の興味深い点は、このようにして脳情報を大きく進化させた人間だが、しかしその歴史の展開の中で、その脳すら〝容量不足〟となり、やがて人間はさらに新たな情報の「媒体」を作っていったという把握だ。

すなわちそれは、文字情報とその蓄積手段としての書物、ひいてはそれを保存する図書館などであり、それはいわば脳にとっての〝外部メモリ〟のようなものと言える。そして、やがてこれでも不十分となり、コンピュータが現れ、デジタル情報の蓄積や伝達が展開されていったのが二〇世紀後半ということになる。

以上のように、「遺伝情報→脳情報→デジタル情報」という形で、何重かの〝外部化〟を行ってきたのが人間である。そしてそのことと並行して、つまり「情報」の形態の進化とパラレルに、人間における「コミュニティ」の形態ないし様式が大きく変化していった。「情報とコミュニティの進化」と呼べる展開である。

一方、前節で述べたように、私たちが生きる今という時代はいわば「情報文明の成熟化ないし飽和」あるいは「ポスト情報化」とも呼ぶべき時代の局面への移行期と考えるべきである。

ここで図5を見ていただきたい。これは上記のようなセーガンの議論を展開したものだが、ここでのポイントは、情報文明が成熟化ないし飽和する中で、「遺伝情報→脳情報→デジタル情報」という

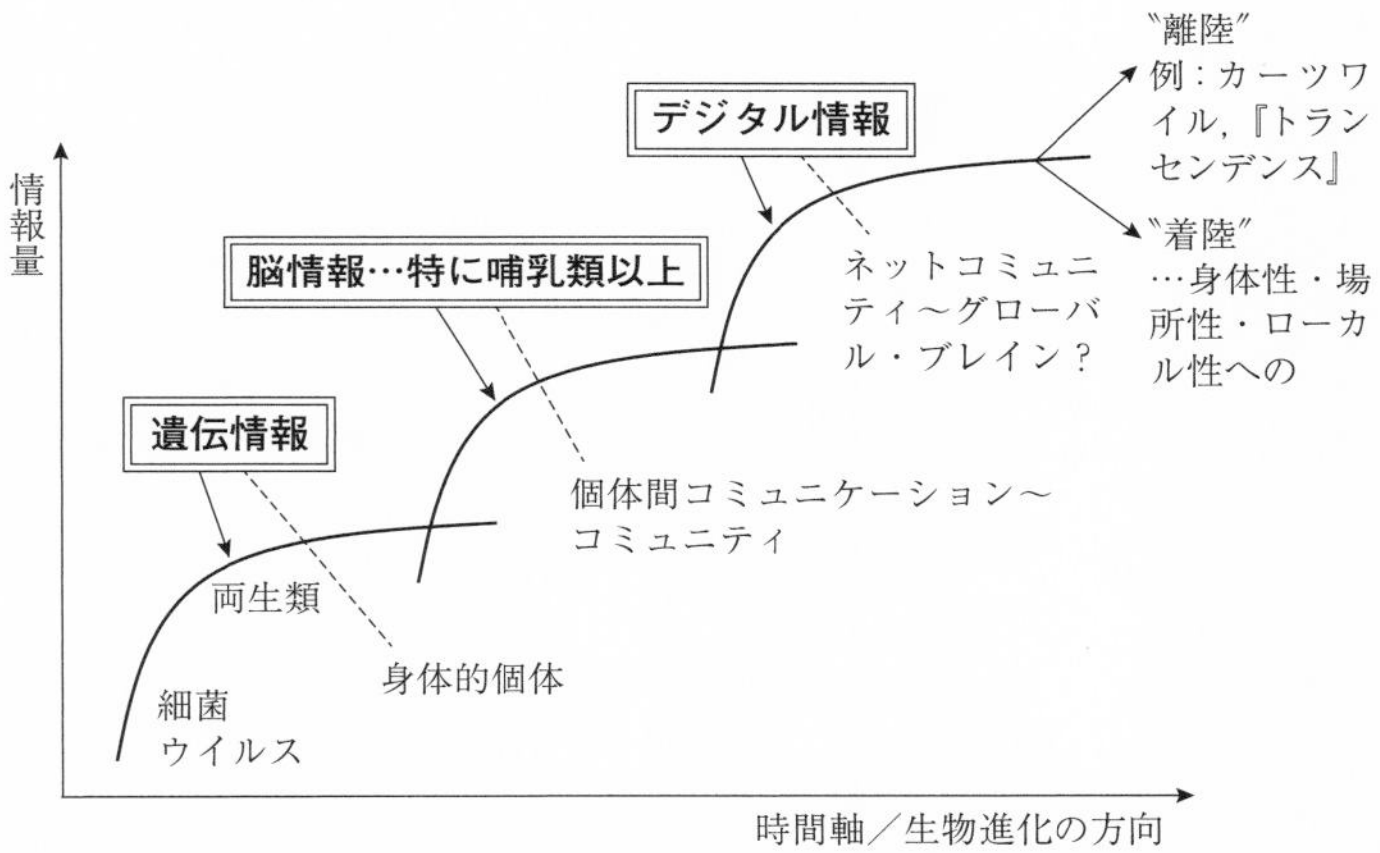

図 5　情報とコミュニティの進化（セーガン（1978）を参考に筆者作成）

展開は、今後どのような方向に向かうのかという点にある。

ありうるベクトルは次の二つだろう。一つは、デジタル化の方向を極限まで進めていく方向であり、この極北を示しているのが本章でも何度か言及したカーツワイルのシンギュラリティのような議論である（科学者の脳の情報をすべてインターネット上に〝アップロード〟するという物語の映画『トランセンデンス』がそのイメージを提起している）。それはいわば**「スーパー情報化」あるいは「スーパー資本主義」**と呼べるような方向と重なっている。

もう一つは、それとは逆にデジタル情報や関連技術を、ローカルな地域コミュニティなどを含め「身体性・場所性・ローカル性」といった土台に〝着陸〟させていくような方向である。それは〝市場経済の限りない拡大・成長〟を追求する資本主義システムを、市場経済の根底にある「コミュニティ」や「自然」にもう一度埋め込み、つないでいくような志向とも重なり、**「ポスト情報化」あるいは「ポスト資本主義」**と呼びうる方向である。

以上を踏まえた上で、これからの時代に私たちが選び取るべき方向が、後者の〝着陸〟の方向であることは、本章を通じて行ってきた議論から明らかであると思われる。

なぜなら第一に、「情報」はそれ自体で独立自存するものではなく、「生命」的な基盤（物質・エネルギーの自己組織的な内発性）に支えられている存在であり、したがって「情報」のみが〝離陸〟していくという方向は原理的にありえないからである。それは「意味」を失った断片の集積に他ならない。

第二に、社会経済的な面からも、人類史における「拡大・成長と定常化」のサイクルを経て、私たちは地球環境の有限性あるいは「第三の定常化」への移行という状況に直面しており、〝限りない拡大・成長〟という方向からの根本的な転換と、それに代わる新たな価値創造を求められているからである。

こうして「情報」をめぐる拡大と〝離陸〟のベクトルが、地球という有限な環境において「反転」し、根底にある自然や生命と再びつながり、〝着陸〟し、ある種の循環的な融合が生じるような展開が生まれる。同時にそこにおいて、（かつての「心のビッグバン」や「枢軸時代／精神革命」がそうだったように）有限な物質的環境の中での新たな創造が生成していく。

私たちはそうした時代の入り口にいま立っており、ＡＩと社会、情報、生命をめぐる展望はそのような枠組みの中で構想されていくべきではないだろうか。

（1）こうした話題に関する包括的な著作の一つとして、山本龍彦編著『ＡＩと憲法』日本経済新聞出版社、二〇一八年を参照。
（2）「ＡＩの活用により、持続可能な日本の未来に向けた政策を提言」(https://www.hitachi.co.jp/New/cnews/month/2017/09/0905.html)、および広井良典『人口減少社会のデザイン』東洋経済新報社、二〇一九年を参照。
（3）「ＡＩを活用した、長野県の持続可能な未来に向けた政策研究について」(https://www.pref.nagano.lg.jp/kikaku/kensei/ai/ai.html)参照。
（4）「ＡＩの活用により、ポストコロナの望ましい未来に向けた政策を提言——女性活躍と働き方・生き方の「分散型」社会が鍵に」(https://www.hitachiconsulting.co.jp/news/2021/210224.html)参照。
（5）たとえば山本義隆『重力と力学的世界』下巻、ちくま学芸文庫、二〇二一年参照。
（6）ラプラス「確率についての哲学的試論」樋口順四郎訳、『世界の名著65　現代の科学Ⅰ』中央公論社、一九七三年、一六四頁。
（7）アレクサンドル・コイレ『閉じた世界から無限宇宙へ』横山正彦訳、みすず書房、一九七三年。
（8）デカルト『方法序説』落合太郎訳、岩波文庫、一九六七年(改訂)。
（9）デカルト『方法序説』、七三頁。
（10）シュレーディンガー『生命とは何か——物理的にみた生細胞』岡小天・鎮目恭夫訳、岩波新書、一九五一年。岩波文庫版(一九五一年刊の改訂)、二〇〇八年。
（11）イリヤ・プリゴジン、イザベル・スタンジェール『混沌からの秩序』伏見康治・伏見譲・松枝秀明訳、みすず書房、一九八七年。
(12) 広井良典『遺伝子の技術、遺伝子の思想――医療の変容と高齢化社会』中公新書、一九九六年、広井良典『ポスト資本主義――科学・人間・社会の未来』岩波新書、二〇一五年。
(13) 広井良典『生命の政治学――福祉国家・エコロジー・生命倫理』岩波書店、二〇〇三年、岩波現代文庫版、二〇一五年。
(14) 西垣通『ビッグデータと人工知能――可能性と罠を見極める』中公新書、二〇一六年。西垣通『新 基礎情報学――機械をこえる生命』NTT出版、二〇二一年を参照。
(15) 石弘之・安田喜憲・湯浅赳男『環境と文明の世界史――人類史20万年の興亡を環境史から学ぶ』洋泉社新書、二〇〇一年。クライブ・ポンティング『緑の世界史』上巻、石弘之・京都大学環境史研究会訳、朝日選書、一九九四年。
(16) こうした「地球倫理」の詳細については広井良典『ポスト資本主義――科学・人間・社会の未来』岩波新書、二〇一五年、および広井良典『無と意識の人類史――私たちはどこへ向かうのか』東洋経済新報社、二〇二一年を参照。
(17) この話題の詳細は広井『ポスト資本主義』、および広井『無と意識の人類史』を参照。
(18) カール・セーガン『エデンの恐竜』長野敬訳、秀潤社、一九七八年。

第六章　ＡＩ倫理の実装をめぐる課題

江間有沙

一　ＡＩ倫理とは何か

ＡＩ倫理（AI ethics）とは、何を意味するのだろうか。

様々なところで見聞きするが、これはＡＩの倫理学など学術的な領域だけで使われる言葉ではない。もっと幅広く、ＡＩの開発や利活用時に気を付けるべき価値や原則の総体をＡＩ倫理と呼び、政策やビジネスの現場でも使われる。

ＡＩ倫理に関しては、主にＡＩ開発者や利用者が守るべき原則を策定するという目的のもと、主に二〇一六年以降、国内外で議論されてきた。議論が始まった二〇一六年当時は、ＡＩの安全性など短期的な懸念だけではなく、汎用人工知能のように自ら意思決定するＡＩの脅威など長期的な視点の議論も並行して行われていた。やがて議論は短期・中期的な観点の懸念やリスクに収束していき、昨今ではＡＩを用いたサービスやシステムを適切に管理(ガバナンス)する方法論も含めて議論するなど「ＡＩガバナンス」という言葉もよく使われるようになった。

世界各国で産学官民の様々な場面で関係者が議論を進める中、国際機関や学術団体だけではなく企業でも多くのＡＩ倫理の「原則」やガイドラインが作られてきた。各原則に共通する価値としては、情報技術全般でも課題となっているプライバシーやセキュリティの保護のほか、ＡＩ特有の価値として公平性、透明性、説明責任(答責性)を確保することが挙げられる。また持続可能な開発目標(ＳＤＧｓ)や日本政府が掲げる「Society 5.0」などとも連動して、ＡＩが人間の尊厳を脅かしてはならないことや、多様で包摂性のある社会に資することなども重要な価値として掲げられている。

これらの原則で重要視される価値は、使われる文言の差こそあれ、おおむね国際社会のコンセンサスを得られていると言っていい。ここ二、三年はこれらの共有する原則をビジネスや政策の現場で実践に落とし込んでいく試みが、次なる課題として各国・各企業で取り組まれている。そしてその落とし込み方には文化、文脈によって重点の置き方に多様性が見られる。

例えば日本では特に人と機械の関係性といった視点が強調されがちであるが、近年キーワードとして特に欧州から聞こえてくるのは、環境なども視野に入れたSustainable AI(持続可能なＡＩ)という視点である。二〇二一年にはドイツのボン大学の主催者によってイベントが開催された。ＡＩに関して環境や未来世代までの影響を含めた議論をしていこうとする考え方が出始めてきている。日本では高齢者のＡＩ利活用などが課題となるのに対し、ユネスコでは子供へのＡＩの影響が議論されており、世代間倫理といった考え方がＡＩにも適用され始めている。

本章ではこの「原則から実践へ」(From Principles to Practice)を議論するにあたって、どのような原則や倫理が重要とされているかを整理するだけではなく、それらを展開する政策やビジネスの現場から見えてきた様々な矛盾や課題を紹介したい。

そのために、まずは第二節で「ＡＩ倫理」言説を考える補助線としてよく言及される「倫理的・法的・社会的課題」(ＥＬＳＩ)と「責任ある研究・イノベーション」(ＲＲＩ)という二つの概念について概説する。情報技術に限らず最先端技術を適切に管理し、社会的な価値と調和させるための概念枠組みは科学技術社会論(ＳＴＳ)と呼ばれる領域で議論の蓄積がある。ＡＩの倫理に関する議論もその延長上にあるが、特にＥＬＳＩに関しては、各国・地域の文化や文脈で独自の展開を遂げている。本章では国際的な流れと同時に、近年の日本の産学官におけるＥＬＳＩとＲＲＩの使われ方を紹介する。

第三節では政策やビジネスの現場でＡＩ倫理をベースにした「ＡＩ原則」が形成されてきた経緯やその内容、そして原則を実践するためのアプローチを紹介する。本節では特に技術によって公平性や説明責任などの原則を満たそうとするアプローチと、組織的なガバナンスによって達成しようとするアプローチの二つを紹介する。

様々な試みや検討がある一方、原則を実践に落とし込む現場では、なかなか原則が掲げる理想通りには事が運ばない。第四節では、実際に様々なＡＩ原則づくりや実践現場のフィールド調査をしている筆者から見た、いくつかの矛盾や課題を紹介する。多様性、包摂性、協働などの理念や価値が、なぜ実践になるとうまく作用しないのか。そしてなぜ消費者や市民に見えにくいのか。それにはＡＩ固有の問題もあれば、他の技術でも起こりうる産業的、政治的、経済的な構造に根差す問題もある。具体的な事例を用いながら紹介し、最後の第五節では、このような問題をＡＩ倫理といった概念の中でどのように咀嚼《そしゃく》し対応していけばよいかを考察する。

本章は「ＡＩ倫理」とは何を意味するかをテーマとして扱いつつも、倫理的とはどういうことかの中身を考えることに主眼を置いていない。そこが他の章と少し趣が異なるかもしれない。むしろ「ＡＩ倫理」という言葉あるいは言説が、現代社会や政治、経済、文化といった外部環境からどのように定義、解釈、そして利用されているかを「ＡＩ倫理」言説の外から記述することを目的としている。

二　ＡＩと社会をめぐる価値の議論

ＥＬＳＩとＲＲＩ

ＡＩ倫理という言葉が国際的にもよく使われるようになってきている。一方、ほぼ日本でのみ使われている言葉にＡＩのＥＬＳＩというものがある。ＥＬＳＩとは倫理的・法的・社会的課題(Ethical,

Legal and Social Implications あるいは Issues）の頭文字をとったものであり、一九九〇年代から生命科学分野で主に使われ始めた。具体的にはヒトゲノム計画に端を発する研究分野において、その研究がもたらす社会への影響の大きさから、研究の予算の一部（三―五％）を倫理的、法的、社会的な研究課題（ＥＬＳＩ）に費やすべきという予算枠組みがＥＬＳＩという言葉が使われ始めたきっかけである。これにより生命倫理や社会との接点に関する研究の重要性は高まったものの、大規模予算を獲得する理工学系研究に組み込まれた人文社会科学系の研究者が、その研究内容に否定的な意見を出しにくいという権力構造に批判も集まった。これを打開するために「ELSI 2.0」や後述するような「責任ある研究・イノベーション」といった言葉が生まれ、研究者間の新たな関係性を模索する提案も行われていった。

しかし、すでに付いてしまったＥＬＳＩという考え方の負のイメージのため、現在、欧米ではＡＩの倫理について考えるとき、この言葉は積極的には使われなくなっている。代わりに用いられるのがAI ethics（ＡＩ倫理）であるが、これだけだと、「倫理」に限定されてしまうため、国際機関やグローバル企業などでは、責任あるＡＩ（Responsible AI）といった言葉がよく使われる。例えばマイクロソフト社やグーグル（アルファベット社）は自社のＡＩ原則に「責任あるＡＩ」（Responsible AI）とのタイトルをつけている。国際的な活動としては、フランス政府とカナダ政府のイニシアティブによって設立されたGlobal Partnership on AI（ＧＰＡＩ）の分科会にも「Responsible AI」がある。

Responsibleが多用される由来の一つとして、二〇〇〇年代から欧米で使われ始めた「責任ある研究・イノベーション」(Responsible Research and Innovation: RRI)という考え方が挙げられるだろう。この考え方は、ＥＬＳＩという言葉が持つ科学者と人文社会科学研究者の非対称な権力構造の批判から、より対等な関係性を求める枠組みとして提唱された。具体的には、科学技術系研究の一部に人文社会科学の研究を組み込むのではなく、科学技術研究からは独立した、しかし連携しながらその研究がもたらす影響に対する研究に予算を付けるという考え方である。これは欧州連合が掲げていた科学技術政策「Horizon 2020」(二〇一四―二〇年)にも言及された言葉である。ＲＲＩを念頭に置いて研究を行う際には、以下に掲げる四つの項目が重視される。

- 応答性と変化への適応性：変化する状況、知識や展望に対応して思考や行動様式、組織構造を包括的に変更できること
- 先見性と省察性：研究やイノベーションがどのように未来を形成するかをよりよく理解するための前提、価値観や目的を熟考し、影響を想定すること
- 多様性と包摂性：研究・イノベーションの実践、普及と意思決定において、科学技術の発展の早い段階から多様な人を巻き込むこと
- 公開性と透明性：人々が情報を精査し対話できるように、方法、結果や影響についてバランスよく

伝達すること

ＲＲＩには、研究者間の権力バランスを健全にしようとする試みだけではなく、「イノベーション」という研究を推進するような肯定的な言葉を入れることによって、ＥＬＳＩという言葉が持っていた、ともすれば「研究を止めにきた人文社会科学」というマイナスイメージを払拭する役割もあった。

ＲＲＩの考え方自体は、ＡＩのみを対象としたものではないが、このような考え方を重視した形でＡＩの倫理に関する原則や実践は作られてきている。例えば、米国電気電子学会（ＩＥＥＥ）が二〇一六年から一九年にかけて行ってきた「倫理的に調和された設計」の原則づくりにも、この精神や理念が背景に見え隠れしている。(1)

研究助成の枠組みから拡張するＥＬＳＩ概念

一方、二〇二二年現在の日本では、ＥＬＳＩという言葉は特に情報技術の周りでは肯定的なイメージで使われている。ＥＬＳＩ自体は前述のように生命科学分野で使われてきた言葉であるが、最先端技術のＥＬＳＩという文脈で、情報技術などで使われるようになってきている。日本の政策文書で筆者が見つけた中には、二〇一三年の科学技術振興機構（ＪＳＴ）研究開発戦略センター（ＣＲＤＳ）のワークショップに「情報技術のＥＬＳＩ」として言及がある。(2)この当時はまだＡＩブームは到来していなかったが、二〇一四年JSTの研究領域の一つCRESTの「知的情報処理」研究領域（萩田紀博総括）ではELSIを考慮することを条件に、研究の公募を行っている。[3] このように当初は研究助成の枠組みの中でELSIという言葉あるいは考えが使われるなど、従来の生命科学的な使われ方と同様な扱われ方であった。

これに対し、ELSIという言葉の持つ含意が研究助成の枠組みを超えて、AIの研究者コミュニティの中でも使われるようになった火付け役の一つに、おそらく筆者らが発足させた異分野協働の研究グループAIRの報告書がある。[4] AIRは、人工知能学会誌が掃除機を擬人化した女性のイラストを表紙として公開したことで炎上した事件をきっかけに結成された研究グループであり、AI研究者のほかSTSや科学技術政策、科学技術コミュニケーション分野の研究者も参加した。このいわゆる「表紙問題」を発端にAIRでは何回か議論を行い、そこでAIをめぐる課題や研究者の責任に関する論点をいくつか提起し、ニュースレターとしてウェブサイトに公開していた。ニュースレターでは、社会と技術にまたがるこのような問題群は、ELSIとして研究されていると紹介している。AIRメンバーの何人かは後日、人工知能学会、特に倫理委員会のメンバーにもなったため、ELSIという言葉はその後、AI研究者にも使われるようになった。例えば、二〇一五年に設立された人工知能学会倫理委員会の設立趣旨では脚注に「倫理よりもELSIのほうが（委員会が扱う対象に）近いであろう」[5] とあり、実際に倫理委員会のウェブサイトのURLは ai-elsi.org である。さらに、二〇一九年に倫理委員会は「社会とＡＩの関係やＡＩ技術の倫理的側面」を考える顕著な活動を表彰するＥＬＳＩ賞を設立している。

研究者コミュニティでＥＬＳＩという言葉がある程度浸透してくる中、倫理、法、社会、という三側面だけでは不十分であり、ＨＥＬＰＳ(Humanity, Economics, Law, Politics, Society)という枠組みを提示する研究者グループも現れた(6)。このように二〇一五年から一七年くらいまでのＡＩ研究者コミュニティでは、従来のＥＬＳＩが意味していた研究助成の枠組みを超え、ＡＩに関する様々な社会課題を扱うといった大きな枠組みで、ＥＬＳＩ的な研究や活動の存在が認知されるようになっていった。

科学技術政策とＥＬＳＩ＋経済

一方、従来の研究助成の枠組みとしてのＥＬＳＩという考え方がなくなったわけではない。それは、研究者コミュニティでの議論を追う形で、ＡＩ関連の政策でもＥＬＳＩ的な視点がアジェンダ設定されたことからもわかる。しかし、そこではＥＬＳＩという言葉を明示的には使っておらず、また経済的な側面を強調する傾向が見られる。

例えば二〇一六年に内閣府の懇談会が発表した報告書では、ＡＩがもたらす影響を倫理的、法的、経済的、教育的、社会的と研究開発の六つに分けて論点を整理している(7)。また内閣府によるムーンショット型研究開発事業の目標(一)「二〇五〇年までに、人が身体、脳、空間、時間の制約から解放された社会を実現」の構想ディレクターである萩田紀博氏（大阪芸術大学）は、その研究構想において、倫理的・法的・社会的に加え経済的な課題としてELSEという言葉を提唱している。[8] 二〇一九年に策定された内閣府の「人間中心のAI社会原則」でも、「イノベーションの原則」の中に「AIを効率的かつ安心して社会実装するため（中略）、倫理的側面、経済的側面など幅広い学問の確立及び発展が推進されなければならない」とあり、倫理と経済が同列で扱われている。[9] ここから政策的な観点では、特に「経済」への重点が強いのが特徴ともいえる。

またこれらのAI政策の指針を基本として展開する研究領域や研究助成も、AIの研究者や人文社会科学の研究者にこの問題に目を向けさせるインセンティブとなる。二〇一六年には、科学技術振興機構（JST）社会技術開発研究センター（RISTEX）が「人と情報のエコシステム」研究領域を立ち上げた。本領域でも目標を達成するために、個別領域として法律・制度、倫理・哲学、経済・雇用、教育、人間中心視点による技術開発の五領域が特定されている。

同じくRISTEXにて二〇二〇年から始まった「科学技術の倫理的・法制度的・社会的課題（ELSI）への包括的実践研究開発プログラム」はプログラム名にELSIが明示されており、研究の対象としてAIを含む情報通信技術が入っている。

産学連携のニーズに合致したELSI

ＥＬＳＩという言葉は、産業界においてはＣＳＲやＳＤＧｓ、ＥＳＧ投資といった言葉とも近いものとして受け入れられている。これは企業ブランドの確立や、ＡＩのもたらす課題に対応しなければ社会に製品やサービスが受容されないという企業の関心につながる。

このような考え方のもと、特にグローバル企業はＡＩの倫理指針や原則を作り始めている。日本ではソニー(二〇一八年)が先鞭をつけ、富士通(二〇一九年)、ＮＥＣ(二〇一九年)、ＮＴＴデータ(二〇一九年)が立て続けにＡＩ原則や指針を公開した。その後も、国内外の企業の多くがＡＩ倫理原則の策定を行っている。

原則やポリシーは策定しただけでは不十分であり、それを運用する組織マネジメントも同様に考えることが重要となる。カナダなどいくつかの国は政府調達に企業が参加するための条件として、ＡＩの倫理に関する原則を定め、そのための組織マネジメントが行われていることを課し始めている。そのため現在、ＡＩの倫理に関する原則や組織ガバナンス体制づくりは、「できたらやる」という努力目標を通り越して、企業にとって「経営戦略に直結する問題」と認識され始めている(10)。

一方で、どのようなＡＩ原則を自社サービスに照らし合わせて策定していけばいいのか、あるいはどのように実際にガバナンスしていけばよいのかがわからずに困惑している企業も多い。これに呼応するかのように、二つのＥＬＳＩセンターが大学で立ち上がっている。一つは二〇二〇年に大阪大学で立ち上がった社会技術共創研究センター(ＥＬＳＩセンター)であり、もう一つが二〇二一年に中央大学に設立された中央大学ＥＬＳＩセンターである。この二つのセンターは両方とも産学連携を謳っており、イノベーションを促進するための法制度や倫理、社会のありようの研究を目的としている。ＥＬＳＩと産業界におけるビジネスの関係性を明確に指摘しているのが、『日本経済新聞』の二〇二〇年一〇月の「新技術、攻めの「ＥＬＳＩ」で――倫理配慮と革新両立を（経営者の視点）」という記事である。(11)

日本企業は法務でＬ、マーケティング部門などでＳに対処しているが、Ｅはぼんやりした倫理観でやりすごしてきた。しかし理念や倫理を言語化し、市民や従業員に伝えることがリスクの低減につながる。ＡＩや自動運転など新技術の実用化へ倫理的課題を探る必要性も強まり、ようやくＥＬＳＩ研究やビジネスへの導入が進み始めたといえる。

記事では、大阪大学ＥＬＳＩセンターも紹介され、「センターには倫理指針やプライバシーポリシーの作成などで様々な企業が足を運ぶ」とも書かれている。このようにＥＬＳＩの枠組みが、産学連携、あるいは産学官連携のフレームワークとしてもＡＩ分野では機能しているといえる。

本節で見てきたように、ＥＬＳＩという概念は科学技術政策において、研究開発の初期段階から人文社会科学の視点を盛り込んだ研究を行うという「研究助成の枠組み」という従来の側面を残しつつも、日本においては研究者自らが研究の社会的影響について議論することや、産業界が技術を実用化するにあたって考えなければならないこととして使われている。次節では、このうち後者の「産業界が技術を実用化」する場面における課題とは何かに焦点を絞る。

三　原則から実践へ

ＡＩの倫理、ＡＩのＥＬＳＩ、信頼されるＡＩなど様々な言葉で言い表されるものの、何がＡＩの開発や利活用において守るべき価値、原則かに関しては、二〇一六年以降現在まで、国際的かつ学際的な関係者たちによる議論が至るところで展開されてきた。原則が出揃い始めるとそれらをレビューする試みも多く出始め、それがさらに重要とされる価値を収斂させるドライブを働かせる。そしてそれは文化や国といった固有の価値を超えて、ある程度は国際的にも共有できる価値としてまとまりつつある。

例えば、ハーバード大学と中国科学院という西と東の研究者らが、それぞれＡＩに関する原則をレビューした報告書を比較してみると、両者とも着目する価値はおおむね共通している[12]（表1）。

表1に掲げられている安全性やセキュリティ、プライバシーなどの価値は、情報技術をめぐって議論され続けている。一方、ＡＩをめぐる議論として強調されるのが、Fairness（公平性）、Accountabil-

表1　人工知能の原則で重要とされる価値の論点整理

ハーバード大学	中国科学院
Promotion of Human Values（人間の価値の促進）	Humanity（人間性／人道）
Fairness and Non-discrimination（公平性と非差別）	Fairness（公平性）
Accountability（説明責任／答責性）	Accountability（説明責任／答責性）
Transparency and Explainability（透明性と説明可能性）	Transparency（透明性）
Privacy（プライバシー）	Privacy（プライバシー）
Safety and Security（安全性とセキュリティ）	Safety（安全性）
	Security（セキュリティ）
International Human Rights（国際的な人権）	Collaboration（協調）
Professional Responsibility（専門家の責任）	Share（共有）
Human Control of Technology（技術の人間管理）	AGI（汎用人工知能）

ity（説明責任／答責性）、Transparency（透明性）の三つであり、頭文字をとってＦＡＴと呼称される。Explainability（説明可能性）を付けてＦＡＴＥと呼ばれることもある。

背景には学習データやアルゴリズムのバイアス、既存社会に存在する差別や偏見に対して、設計者が（無意識に）影響を受けることで、ＡＩの出力結果が不公平で差別的となった事例や事件がある。

原則が絵に描いた餅であってはならず、具体的な実践（Practice）に落とし込んでいく必要がある。そこで、研究機関やグローバル企業などは、ＡＩシステムやサービス開発のプロセスにおいて安全性や公平性などを実践するための検討や有料／無料のサービスの提供を始めている。原則を実践に落とし込んでいくためには、様々な方法論やツールがあり、次節で二つのアプローチを紹介する。

原則から実践への方法論やツール：技術によるアプローチ

ＡＩサービスやシステムが人々のプライバシーを侵害しないか、公平性を担保しているか、あるいは中身がブラックボックスとならずに説明が可能かどうか、などを技術的に担保しようとする試みがある。

例えば画像を認識して何が映っているかを示すＡＩ技術は様々な社会応用が可能だが、ＡＩが間違った判断や認識をすることもある。その時、ＡＩが画像のどこに着目して判断したのかをハイライト、可視化できれば、間違いや偏りを修正できる。

このような説明可能性と、さらにはジェンダーのような公平性の問題に関わる技術として、画像のデータセットに含まれるジェンダーバイアスを緩和する技術がある。図1の左側(Original Image)を何と判断するかと問われた場合、人間ならば例えば「街中で女性がバイクにまたがっている写真」と答えるだろう。しかし、ＡＩはまず図の中心にあるバイクに着目する。それはバイクにまたがっている太もものあたりがハイライトされていることからわかる。ＡＩは数多くの学習をする中で、バイクにまたがるのは多くが男性であると判断する。そのため左から二番目の図(Baseline)のように「街中で男性がバイクに乗っている」と説明してしまう。このようなシチュエーションや役割による性別の判

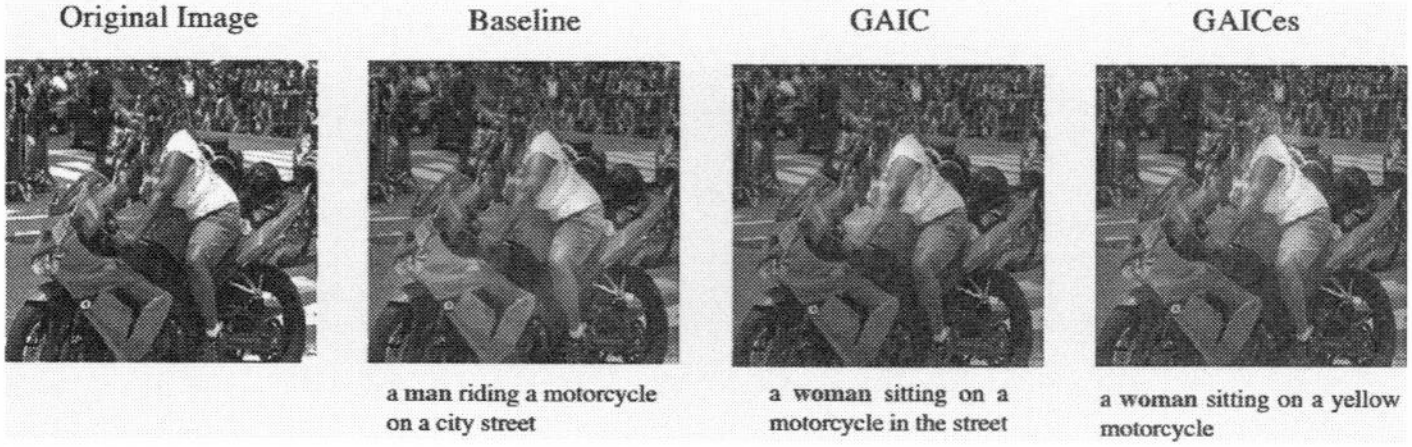
Original Image
Baseline
GAIC
GAICes
a man riding a motorcycle on a city street
a woman sitting on a motorcycle in the street
a woman sitting on a yellow motorcycle

図１　バイクに乗っている人というシチュエーションではなく，人にも着目するようにする技術の紹介（出典：Ruixiang Tang et al., Mitigating Gender Bias in Captioning Systems, 2020. https://arxiv.org/abs/2006.08315）

別は、機械による自動翻訳でも問題となっており、医者は男性、看護師は女性のように三人称を推測して文章を変換してしまう事態も起きている。

ＡＩによるステレオタイプを打ち壊すため、シチュエーションだけではなく図の上半身や顔にも着目するように技術を改良することで、ＡＩは右側の二枚の図のように、「女性がバイクにまたがっている」と正しく認識できるようになる。

その他、公平性に関してもいくつか有用なツールが公開されている。マイクロソフト社が提供しているFairlearnやＩＢＭ社が提供しているAI Fairness 360は誰もが利用できるオープンソースであり、機械学習のモデルにバイアスや差別的な偏りがないかを検証できる。

このように、技術を用いてＡＩの原則が重視する公平性という価値を実践に落とし込む方法が多々ある。しかし、これによって問題がすべて解決するわけではない。そもそも、ＡＩシステムの公平性を担保するとはどういうことだろうか。採用ＡＩを作るときに応募者の性別や年齢などの属性は削除したほうが公平な判断ができるのだろうか。それとも結果として採用者の性別や年齢が偏らないようにすることが公平なのか。

公平性に配慮したＡＩの仕組みを考える技術者にできることは、結果の公平性、プロセスの公平性など様々な社会的な要請にまつわる「公平性」に対して、それを技術的に最適に計算するアルゴリズムやツールを提供することである。何が社会的に求められる公平性なのかは社会や、あるいはそのサービスやシステムを提供する企業が考えるしかなく、唯一解はない。

原則から実践への方法論やツール――ガバナンスを利かせるアプローチ

技術的なツールを使うだけでは、ＡＩのモデルや使われるデータが公平であり、プライバシーを保護しているかを確約できない。その前提としては何が公平なのか、何がプライバシーの侵害に当たるのかなどの社会的な合意や企業が提供するサービスの目的が必要である。また、モデルやデータにたとえ不備があったとしても、それを開発段階で適切に発見、対応するには組織的なガバナンス体制を整備する必要がある。組織ガバナンスの問題は、いざ問題が起きたときに事後的に対応できるかという点も含め、ＡＩサービスやシステムを提供する側には必ず考えなければならないことでもある。

この考え方に先駆的であったのは、シンガポール政府が二〇一八年に公開したＡＩガバナンスフレームワークである。(13) 現在はバージョンアップしたものが公開されているが、基本的な考え方としては、

ＡＩサービスやシステムで何を目的としたいかを特定し、その目的に応じたガバナンス対策の選択肢を提供する方針である。さらに開発だけではなく顧客や消費者からの信頼を得るための対策を取ることや、消費者や顧客が被る可能性がある被害のリスク評価の考え方も提供している。このフレームワークは、ルールの策定にあたって最低限の原理原則や法制度を提示しつつ、具体的に取れる対策の選択肢を提供している。そして何を実現すべき目的とするか、顧客とどのような信頼関係を築きたいかに関しては、それぞれの企業や業界団体が自主的に選択できるといった自由度を残している。つまり、これは法規制などで「してはならない」ルールを決めるハードロー志向ではなく、各企業が自主ルールを自ら取捨選択して策定できるようなソフトローでのガバナンスの在り方を推進している方針といえる。

二〇一八年以降、ハードローではなくソフトローで対応しようとする考え方は、ＡＩという変わり続ける技術のイノベーションを阻害しないようにしつつもガバナンスを利かせるという点で多くの国が推進している方針であった。日本でも経済産業省が二〇二一年に「GOVERNANCE INNOVATION ver. 2：アジャイル・ガバナンスのデザインと実装に向けて」と題する報告書を公表し、法規制によらず、企業や業界団体の自主ガイドラインといったソフトローをベースとする対応を主として推進していくことを基本方針として掲げている。

このように多くの国がハードローではなくソフトローでの規制で行くことに合意できていたと思わ

れていた中、二〇二一年四月に欧州委員会が公開したＡＩ規制法案はその流れを断ち切るものであった。欧州では法案、つまりハードローで高リスクＡＩに関して規制をかけるとする方針が出たのである。今後、世界的にガバナンスの在り方の潮流がどうなるのか、二〇二二年現在、まだ予断を許さない状況である。

四　「原則から実践へ」の中で生じている矛盾

ＡＩ倫理に関する原則を、技術やガバナンスなどの実践に落とし込むのを難しくするのは、そもそもこの原則から実践への接続の悪さが挙げられる。前節で紹介したように、何が守るべき価値かという大枠の原則には大多数が賛成するものの、個別の実践となるとその原則の理念を無視した現象が多々見受けられる。筆者は倫理や原則を策定する場に居合わせることが多く、また大学や企業との共同研究を通してその原則を実践に落とし込んでいく現場を見ることも多い。その現場で生じている矛盾をいくつか本節では紹介する。

多様性を説く多様性のない会議

現代社会が追求する価値の一つに「多様性」がある。当然、ＡＩ倫理を考える際にも多様性を担保することが重要であり、そこからＡＩ開発や利活用における公平性や透明性といった価値につながる。しかし、これは日本で多く見られる現象であるが、多様性の重要性を説く会議のメンバーの多様性がない。

象徴的なのが二〇一九年に「人間中心のＡＩ社会原則」を公開した内閣府の検討会議である。原則の基本理念として多様性を提示しつつも、その構成員における女性の人数は二五人中四人（一三・八％）に過ぎない。同時期に欧州委員会が「信頼できるＡＩのための倫理ガイドライン」と題する類似の報告書を公開しているが、こちらは五一人中二二人（四三・一％）が女性である。筆者はこの問題を国内外の講演や会議で問題として取り上げるほか、検討会議事務局にも進言しているが、二〇二二年現在、二期目となった検討会議でもこの現状は改善されていない。

ＡＩ倫理やガバナンスを検討する専門会議や第三者会議を設けている組織は多いだろう。そこの構成員の多様性は担保されているだろうか。グローバル企業などでは性別だけではなく、国籍・人種などさらなる多様性が求められる。現在、筆者が参加しているいくつかの国際的なＡＩの原則や実践に関する会議でも、参考として取り上げる原則や実践集に「何が」書かれているかだけではなく、「誰が」作成に関わっているかで、その重要度のランク付けが行われるようになりつつあることを日本人は知っておく必要がある。つまり、どんなに良い内容や事例であったとしても、その背景に多様性がなければ、その原則や事例の価値は下がる。「何」を議論しているかだけではなく、「どのように誰と」議論しているかも考えなくてはならない。

排除として機能するAI倫理

ＡＩの倫理や原則は、ＡＩの開発や利活用に関わるすべての関係者に考えてほしい、実践してほしいものとして展開される。しかし、そこで求められる要求水準は決して低くない。求められる要求水準が高くなるほど、個人開発者や中小企業、ベンチャー企業がその原則を遵守することや、そのためのツールを使ったりガバナンスの体制を構築したりすることが困難となる。結果として、ＡＩ倫理原則を推進する社会的な風潮が、ＡＩ倫理原則を守れない人や組織、国を排除し、ＡＩ開発や利活用への新規参入を阻む障壁となりかねない。実際、第一節で紹介したようにカナダをはじめいくつかの国では、ＡＩ倫理に関する原則や組織ガバナンスが整っていない企業は政府調達に参加させないとする規則を作るなど、ＡＩ倫理に関する議論は、企業にとって産業障壁となりつつある。

また、もともとＡＩ倫理に関する原則づくりは、その多くが欧米や日本、中国などのＡＩ技術先進国によって議論され、方向づけられてきた。そこにはアフリカや東南アジア、南アメリカなどをはじめとするグローバル・サウスの人々の声が反映されていないとの批判もある。さらには前述したように、欧州が二〇二一年四月にＡＩ規制法案を展開するなど、同じ価値を共有できない国や地域、企業をハードローなどの法律で排する傾向が強まりつつある。フランスとカナダ政府のイニシアティブによって結成された国際的なネットワークであるＧＰＡＩ(Global Partnership on AI)も、「人権と民主的価値(human rights and democratic values)を尊重する、責任あるＡＩの使用を促進する」ことを理念として掲げ、この価値を共有しない国や地域の参加を牽制している。ＡＩの倫理という考え方が、多様性と包摂性を認める社会というビジョンを共有する原則のもとにあることを考えると、この帰結は皮肉でもある。

さらにＡＩの倫理に関する組織ガバナンス(例えば、安全性の検討やデータバイアスを検証するような内部監査人や問題が起きたときの対応窓口等)を十全に確保するのは大企業に有利であり、結果として大企業による独占や寡占が進みかねない。ＡＩ技術に関してはスタートアップ企業の躍進が目覚ましいところがあるが、そのような企業では人もコストもリソースが限られてしまう[14]。商品やサービスにＡＩ技術を用いていると公言するとＡＩサービスやシステムの審査や承認、検査に時間がかかるとなった場合、「本製品はＡＩ技術を用いておらず、既存商品の性能を少しだけ改良したものである」として、検査をやり過ごそうと考える企業が現れないとも限らない。そのためにも、特に医療や軍事など、人々の生活や命に関する技術やシステムの検査や審査、認証に関してはＡＩに関する倫理が排除や抜け穴探しに使われる可能性がないかチェックすることが重要になる。

「永遠のβ版」と「安全文化」の対立

情報技術をめぐる昨今の議論において根本的な考え方の一つに「技術は永遠のβ版（ベータ版：テストの意味）」という認識がある。

例えば私たちの生活に今や欠かせなくなったスマートフォンに表示される「アプリ」は、定期的にアップデートする必要がある。パソコンのOSであるアップル社のiOSは当初からずっとこのような仕組みであるが、マイクロソフト社のWindowsも10を最後のバージョンとしてあとはアップデートで対応されていた（しかしそれは二〇二一年のWindows 11の発表によって撤回されたが）。

特に昨今のAIブームの端緒となった深層学習は、データや特徴量を自ら見つけ出し学習するという特徴があるが、これにはどこでAIの学習をやめさせるかという問題がある。人々の嗜好品の消費行動など季節によって変わる項目は、季節ごとに新たなデータを学習し続けたほうが良い精度の分析結果が得られる。あるいは災害時の状況予測や物品の運搬など、刻一刻と状況が変わる場合も、常に最新の情報をもとに予測させたほうが精度は高くなる。さらにはCOVID-19（新型コロナウイルス感染症）のような想定外の状況が起きた場合、人々の消費行動や人流、エネルギー消費量の予測にあたって、過去のデータは参考とならない。刻一刻と状況が変わる場合においては、最新の情報が多ければ多いほど、AIはより適切な判断が下せるようになる。そのため、常に新たなデータを学習させることが良いように思われる。

しかし学習頻度や速度を上げ、ほぼリアルタイムで更新し続ける仕組みにしていくと問題が生じることもある。例えば、データの正確さを吟味する時間がなくて結果的に予測や判断の精度が落ちてしまう可能性がある。あるいは、特定の情報や状況に偏ったデータを学習することによって、正確性に欠ける判断をしてしまうこともある。また、与えられた学習データに過剰に適合させようとすると「過学習」と呼ばれる現象が起き、未知データに関しては全く当たらない予測をしてしまう場合もある(15)。

常に進化し続ける、常に学習し続けるというＡＩの設計思想からすると、そのシステムに完成版という概念はない。常にシステムやサービスに対してフィードバックをかけて修正・更新されていくことを消費者や利用者は受け入れるしかない。このように常に更新され続けるため、情報技術システムについては完成品が納品されるというよりは「永遠のβ版」であるとの認識を持つべきだと言われる。

情報技術に限らず、そのほかの工学や医学、薬学によってもたらされるサービスやシステムも、新しい発見や知見をもとに新たな製品やサービスが提供されるため、長期的に見ればすべてのものが「永遠のβ版」といえるかもしれない。しかし情報技術に関してはその更新期間が短く、また問題があれば修正すればよいという、多少の問題があることは織り込み済みで開発されている場合もある。これは、多少の問題も許されない「安全文化」の領域とは相容れない考え方である。

例えば医療領域では、臨床試験や実験を何回も繰り返し、治験などで安全性や治療法の確認をしてから治療法や薬剤などを社会へ提供していく。自動運転でも、まずは特区のように限られた場所での実験を積み重ね、公道に出るまでにはかなりの年月を要する。日本ではこのような「安全文化」が根付いており、石橋を叩いて渡るような文化の一端が「技術で勝ってビジネスで負ける」という日本企業のものづくりの在り方に影響を及ぼしている。

対する「永遠のβ版」の文化では、とにかく先に動かしてみて考えるという試行錯誤が優先される。自動運転に関してもテスラ社やアルファベット社傘下のウェイモ社などが参入した当初は「自動で走る車を作る」というよりは「走るパソコンを作る」といった考え方に近かったように思う。この、とにかく小さく課題を切り分けて動かしてみる、試行錯誤して結果に対するフィードバックを得ながら、走りながら考えるという開発の在り方自体は「アジャイル(素早い、機敏な)開発」と呼ばれ、現在システムやソフトウェア開発の主流となっている。

昨今、このアジャイルという考え方は技術開発だけではなく、社会や制度設計にも組み込まれるようになってきている。二〇二一年に経済産業省が発表した報告書は「アジャイル・ガバナンスのデザインと実装に向けて」と題されている。そこでは「Society 5.0」の実現に向けて、常に変革する社会とゴールに対応するため、個人、市場、法制度や企業などの関係者が継続的かつ高速に目的設定や評価、改善のサイクルを回転させていくことが必要だと提案されている。そのためにも、制定に時間がかかる法規制だけではなく、標準やガイドラインといったソフトローによって官民協働でのルール形成を行っていくことや、「規制のサンドボックス制度」を活用した実証実験を積極的に行っていくことが提案されている。つまり、技術だけではなく法規制に関しても、技術や社会の変化に対応していくための機敏性が求められるのである。

この「アジャイル」的考え方が適している領域もあれば、「石橋を叩いて渡る」からこそ信頼される領域もあるだろう。交通や医療、インフラなどに情報技術が進出していくにしたがって、「永遠のβ版」や「アジャイル開発」でＡＩシステムの基本的技術を作っている企業と、具体的な応用領域で「安全」「堅実」なシステムやサービスを望むベンダー企業が、意識をすり合わせるだけではなく、それを使う利用者が、どちらの文化圏に属するものとしてシステムを利用するかによってＡＩに対する信頼や評価は異なってくる。この文化の違いを軽視してしまうと、原則を実践に移すときにどの価値を重視するか関係者間で齟齬をきたし問題を引き起こす。

リスクの議論はするけれども、それを共有できない

ＡＩサービスやシステムの設計や社会実装を考えるにあたって、企業は、サービスやシステムがどのような価値を実現したいかを個別に考える必要があると指摘してきた。そのために第三節では組織ガバナンスとして対応する事例をいくつか紹介してきた。しかし、これも実際にやってみようとするといくつかの課題があることが見えてきた。

具体例として、筆者らが東京大学で開発したリスクチェーンモデル(Risk Chain Model: RCModel)

というＡＩのリスクマネジメントのフレームワークを用いてリスクシナリオの検討をしたときの課題を紹介したい。RCModelは、様々なＡＩ原則やガイドラインを実践に落とし込んでいくための方法として開発した考え方（フレームワーク）であり、まず個別のＡＩサービスやシステムが重視する価値や目的を定義し、その実現を阻害するリスクシナリオを特定して検討するというアプローチを取っている。RCModelは、ＡＩ開発者だけではなく、サービス提供者やユーザーも含めた三層に構造化し、それぞれのアクターが取るべき方法について関係者間で議論し、それを記録に残していくという可視化も重視している（図2、図3）。

このように個別事例やシナリオを作成し、何がリスクとなりうるかの事例を蓄積することは、類似のシステムやサービスを作るうえで参考となりうる。実際に筆者らが、様々なＡＩサービスやシステム事例に対してRCModelのリスクシナリオの検討を行っていく中、人が関与するシステムでは必ず生じるリスク、意思決定や判断を行うＡＩの開発や利活用では必ず生じうるリスクなど利活用場面は異なったとしても、利用条件によって生じる典型的なリスクをカテゴリ分けできるようになってきている。これらは新規サービスやシステムを考えるうえで非常に重要であり、かつ顧客や消費者にとっても有益な情報である。そのため、RCModelの内容を一部匿名化あるいは汎用化して、事例集として一般に公開、共有している(16)。

その一方で、ある組織や企業の個別のＡＩサービスやシステムに対してリスクや課題を吟味した結

シナリオの検討

リスクシナリオ
採用する職種等により，適切な期待値を設定しなければAIの貢献を正しく評価できない
AIの予測性能が劣化したことで採用レベルが低下する
エントリーシートで使用される文字情報が若干異なるだけで(句読点の違い等)，AIの判断結果が大きく変化する
申込内容に虚偽が含まれているが，合格と判断してしまう
人材採用担当者がAIの判断に依存しすぎることで，AIの判断誤りに気が付かない
人材採用担当者によるAIへのフィードバック(合否のラベル設定)が不正確なことでAIの性能が劣化する
求める人材トレンドの変化にAIの予測傾向が対応できず，採用レベルが低下する
新たな職種・人材を求める際にAIモデルの予測が妥当でない可能性がある
サービス維持コストが超過する
地域の会社ごとに採用方針や申込者の傾向が異なることで，会社によって採用レベルが確保できなくなる
十分な開発体制が確保されていないことで，モデルの精度が劣化した際に再学習などの対応が行われない
AIサービスを何度も利用することで高確率で合格判断を行うキーフレーズ等を特定し，社外へ不正販売する
特定の国／地域／人種／性別／年齢に対して不公平な予測結果を生じさせる
AIの判断結果情報が別の目的に使用されることで，特定の人間に不利益を生じさせる
AIの予測結果情報が外部に流出することで特定の人物に対して風評被害が発生する
AIシステムに蓄積された個人情報が流出する

価値目的から，リスクシナリオを特定する

重要なリスク

「実現すべき価値・目的」を阻害する「リスクシナリオ」を検討

実現すべき価値・目的		サービス要件と関連テクノロジー			リスクNo.	
1	人材採用レベルの維持・向上	1-1	予測性能の維持	■ AIの予測精度 ■ AIの頑健性 ■ AIの説明可能性	R001	適切な評価
					R002	予測性能の維持
					R003	ノイズによる影響
					R004	虚偽の申込
		1-2	AIサービスと利用者の連携	■ AI依存 ■ AIへのフィードバック	R005	過度なAI依存
					R006	誤ったフィードバック
		1-3	ビジネス環境変化への対応	■ データ分布の変化	R007	人材トレンドの変化
					R008	新たな職種
2	採用活動に係るコストの削減	2-1	適切なサービスコスト	——	R009	コスト超過
3	海外グループを含めたサービス提供	3-1	サービスのローカライズ	■ AIの学習 ■ 個別モデル開発	R010	地域の会社への対応
		3-2	広範囲な開発・サポート体制	■ 開発体制	R011	不十分な開発スピード
4	企業の社会的責任(公平性のある採用活動)	4-1	倫理・コンプライアンス遵守	■ AIの判断根拠 ■ AIの汎化性	R012	判断根拠情報の不正販売
					R013	公平性
		4-2	情報管理	■ データ管理	R014	予測結果の目的外利用
					R015	風評被害
					R016	プライバシー保護

図2　採用AIの事例：サービスの実現すべき

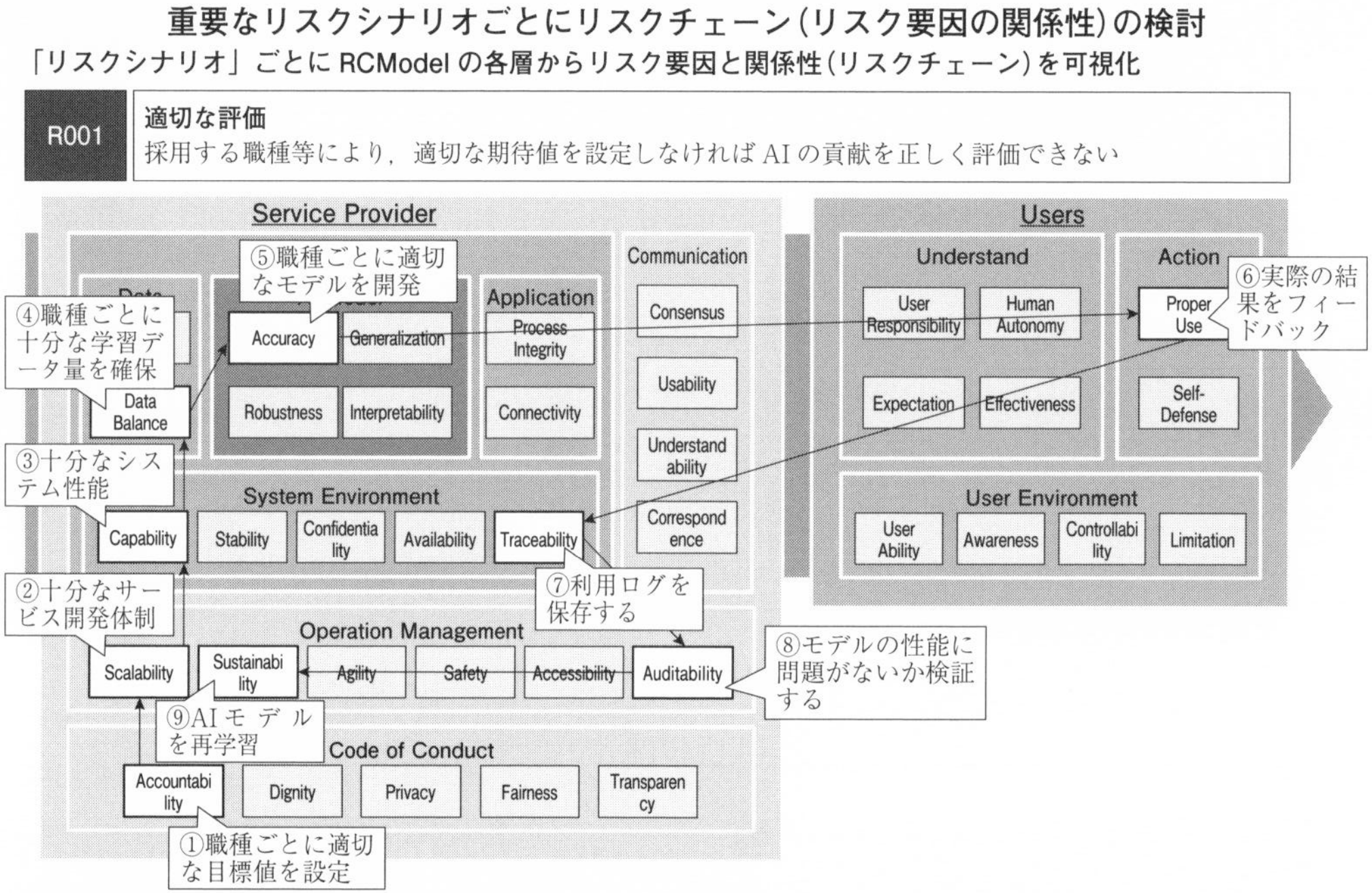

図3　採用AIの事例：AIシステム開発者，サービスプロバイダー，ユーザーの三構造の中，それぞれが取るべきアクションを考える

果の公開はまだハードルが高いとも感じている。第三節で紹介したシンガポール政府が公開している報告書には、ＡＩガバナンスフレームワークの紹介と同時に、企業名を出して「ベストプラクティス」を紹介しているが、これは良い事例だから出せるのであって、ＡＩサービスやシステムにリスクや課題があることを積極的に企業や組織が出すインセンティブは残念ながらない。

また、外部有識者などによる第三者委員会を組織してＡＩサービスの課題や可能性を議論する場合にも、どの段階でのサービス事例を吟味すればよいかが不確定である。理想をいえば、開発の上流、開発をする前段階からそのサービスやシステムが持つ課題について多様なステークホルダーでの議論をすることが求められるが、セキュリティ上や経営上の問題があり、組織外の人間には何を開発しようとしているかを相談しにくい。一方、すでに開発されている商品に関するリスクの意見を聞いたところで、自社製品が持つリスクを公開することは、顧客の信頼や企業の経済的利益を損なうリスクともなる。そのため具体的な実践例を共有することができず、また共有するインセンティブもない。結果として、サービス提供者は「内部でしっかりとＡＩ倫理の原則を守っていますので信頼してください」としか言えず、消費者やエンドユーザーはそれを信じるしかない状況となってしまっている。

RCModel は、企業内でＡＩ倫理やガバナンスについて考えることができる人材の育成の研修プログラムの方向性も模索しており、考え方の方法論として浸透させていく方向を考えている。リスクに対する転ばぬ先の杖として内部ガバナンスの強化対策用に機能することとしては十分に可能性があると感じている。しかし実際にＡＩが引き起こす社会的な課題とは、事件や事故、あるいは内部告発や当事者からの訴えという外在的な要因で明るみに出ることも多い。そのためどこまで事前に問題を防ぐことができるかには、別の手立てが必要であるとも感じている。

五　今後の課題

以上見てきたように、ＡＩ倫理とは理念的な原則から実践に落とし込んでいくときに、政治的思惑、経済的価値、権力構造や物理的な制約など様々な要因が絡み合うことにより、原則が掲げる多様性や包摂性があり、人間の尊厳を尊重し、ベストプラクティスを共有するといった理念は色あせていく。第四節で紹介した問題は、ＡＩの「学習する」といった機能に固有の問題もあれば、社会的な要請によって現代社会で問題視されるもの、あるいは産業や経済、政治の構造的な在り方によって他の分野でも起こりうるものなど様々である。

第一節で「ＡＩ倫理」と言われるものは、倫理学そのものではないと言及したが、政治やビジネスの現場でも使われるＡＩ倫理という言葉は、社会的、政治的そして経済的な相互作用から生じた概念であると言ってもよい。そしてＡＩ倫理を実装するための方法論やガバナンスの在り方も、唯一の正解があるわけではない。もっと言えばその実践が公開されたり共有される機会もはるかに少ない。今、私たちが目にするＡＩ倫理の実践例というのは、外に出せるようにきれいに漉《こ》した上澄みか、あるいはＡＩ倫理という名をかぶせてきれいにラッピングをしてあるものに過ぎない、といったら言い過ぎだろうか。

しかしだからといってＡＩ倫理という名で原則を策定し、それを実現するための実践すべてを無価値だと言い捨てることはできない。ＡＩ倫理の議論とは本質的には価値をめぐる議論であり、どのような社会を目指したいかという社会の在り方をめぐる議論でもあるからだ。人の欲望と経済、政治そしてＡＩの開発・利活用は切り離すことはできず、一人一人の「こうあってほしい」という望みや社会的な潮流はあったとしても、それぞれの価値を対話もせずに切り捨てることは民主主義的なアプローチではない。対話をあきらめないこと、そして「より良い」とは何かを模索し続けること、それもまたＡＩ倫理としての実践に必要なことなのである。

謝　辞

本章は、上廣倫理財団「ＡＩロボット倫理研究会」の皆さまとの議論のほか、実際にＡＩ倫理やガバナンスに関して議論させていただいた産学官民多様な皆様方のご意見を参考にさせていただいた。感謝申しあげる。また、RCModel の開発や実践は、公益財団法人トヨタ財団「人工知能の倫理・ガバナンスに関するプラットホーム形成」の研究の一環として行った。

（1）江間有沙「倫理的に調和した場の設計——責任ある研究・イノベーション実践例として」、『人工知能』第三二巻第五号、二〇一七年、六九四—七〇〇頁。

（2）科学技術振興機構研究開発戦略センター「知のコンピューティング——人と機械が共創する社会を目指して」、二〇一三年。https://www.jst.go.jp/crds/pdf/2013/WR/CRDS-FY2013-WR-05.pdf

（3）ＪＳＴニュース「特集：人間と機械が協働する時代へ——調和を創る知的情報処理システム」二〇二〇年二月号。https://www.jst.go.jp/pr/jst-news/backnumber/2019/202002/pdf/2020_02_p03-04.pdf

（4）AIR Newsletter, 第一巻第一号、二〇一四年。http://sig-air.org/archives/43

（5）松尾豊ほか「人工知能学会 倫理委員会の取組み」、『人工知能』第三〇巻第三号、二〇一五年、三五八—三六四頁。

（6）高橋恒一・井上智洋「特集「ＡＩ社会論」にあたって」、『人工知能』第三二巻第五号、二〇一七年、六四〇—六四二頁。

（7）「人工知能と人間社会に関する懇談会報告書」二〇一七年三月二四日。https://www8.cao.go.jp/cstp/tyousakai/ai/summary/aisociety_jp.pdf

（8）「ムーンショット型研究開発事業プログラム紹介」。https://www.jst.go.jp/moonshot/program/goal1/index.html

（9）統合イノベーション戦略推進会議「人間中心のＡＩ社会原則」、二〇一九年。https://www8.cao.go.jp/cstp/aigensoku.pdf

（10）例えば、日本のスタートアップ企業であるＡＢＥＪＡは、二〇一九年に自社の案件に関して倫理的な観点で提唱する委員会ＥＡＡを設立した。ＣＥＯの岡田陽介氏は、「このたび、ＥＡＡを発足させたのは「ＡＩと倫理」は企業の経営戦略に直結する問題だと認識している」からだと述べている。https://abejainc.com/ja/news/article/20190821-2542

（11）宮内禎一「新技術、攻めの「ＥＬＳＩ」で――倫理配慮と革新両立を」、『日本経済新聞』二〇二〇年一〇月五日。https://www.nikkei.com/article/DGKKZO64546810S0A001C2TJC000/

（12）江間有沙「コメンタリ：ＡＩ原則から実践にあたって日本が国際的な活動から学ぶべき教訓」、『人工知能』第三六巻第二号、二〇二一年、二一〇―二一二頁。

（13）シンガポールのガバナンスフレームワークに関しては、江間有沙「ＡＩと倫理に一石、シンガポールの戦略」、『日経ＢＰムック　まるわかり！　ＡＩ開発２０１９　人材戦略』日経ＢＰ社、二〇一八年、一五四―一五九頁にて解説を行っている。

（14）日本ディープラーニング協会「ＡＩガバナンス・エコシステム――産業構造を考慮に入れたＡＩの信頼性確保に向けて」二〇二一年七月。https://www.jdla.org/wp-content/uploads/2021/08/jdlasg2001_report.pdf

（15）このようなＡＩの技術が持つ課題については、拙著「絵と図でわかるＡＩと社会――未来をひらく技術とのかかわり方」技術評論社、二〇二一年、で図解付きで解説を行っている。

（16）現在、東京大学のウェブサイトには、RCModel の使い方のガイドに加え、採用ＡＩ、無人コンビニ、送電線の外観検査ドローン、不良品検知ＡＩ、道案内ロボット、再犯可能性の検証ＡＩなど一一ケースについて RCModel の実践を紹介している。https://ifi.u-tokyo.ac.jp/projects/ai-service-and-risk-coordination/

〈執筆者〉

河島茂生（かわしま しげお）

青山学院大学総合文化政策学部准教授．専攻はメディア研究，情報倫理．主な著書に『未来技術の倫理』（勁草書房），編著に『AI時代の「自律性」』（同）．

ドミニク・チェン（Dominique Chen）

早稲田大学文学学術院表象メディア論系教授．専攻はHCI，ウェルビーイング．主な著書に『未来をつくる言葉』（新潮社），『コモンズとしての日本近代文学』（イースト・プレス）．

富山　健（とみやま けん）

千葉工業大学未来ロボット技術研究センター教授．専攻はロボットの擬似感性，介護者支援ロボット，プレゼンテーション指導．主な著作に'Virtual Emotion for Robot'（2018 Uehiro-Carnegie-Oxford Conference: Ethics and the Future of Artificial Intelligence），『いざ国際舞台へ！ 理工系英語論文と口頭発表の実際』（コロナ社）．

広井良典（ひろい よしのり）

京都大学人と社会の未来研究院教授．専攻は公共政策，科学哲学．主な著書に『ポスト資本主義』（岩波新書），『無と意識の人類史』（東洋経済新報社）．

江間有沙（えま ありさ）

東京大学未来ビジョン研究センター准教授．専攻は科学技術社会論（STS）．主な著書に『AI社会の歩き方』（化学同人），『絵と図でわかるAIと社会』（技術評論社）．

西垣 通

1948年生まれ．東京大学大学院情報学環名誉教授．日立製作所主任研究員，米国スタンフォード大学客員研究員，明治大学教授をへて，東京大学社会科学研究所教授，同大学院情報学環教授，東京経済大学コミュニケーション学部教授を歴任．著書に『AI原論』（講談社選書メチエ），『ビッグデータと人工知能』（中公新書），『ネット社会の「正義」とは何か』（角川選書），『ウェブ社会をどう生きるか』（岩波新書），『基礎情報学』（『続 基礎情報学』『新 基礎情報学』とあわせて3部，NTT出版）ほか多数．

企画・協力　公益財団法人上廣倫理財団

AI・ロボットと共存の倫理

2022年7月5日　第1刷発行
2023年9月15日　第2刷発行

編　者　西垣《にしがき》 通《とおる》

発行者　坂本政謙

発行所　株式会社 岩波書店
〒101-8002 東京都千代田区一ツ橋2-5-5
電話案内 03-5210-4000
https://www.iwanami.co.jp/

印刷・理想社　カバー・半七印刷　製本・松岳社

ISBN 978-4-00-022313-3　Printed in Japan